Le plancher de Joachim

Du même auteur

Religion et politique en France depuis 1789, Paris, Armand Colin, coll. «Cursus», 2007.

Ordre et désordre dans la France napoléonienne, Paris, Napoléon Ier Éditions, 2008.

Le roi Jérôme, frère prodigue de Napoléon, Paris, Fayard, 2008.

Les habits neufs de Napoléon, Paris, Bourin Éditeur, 2009.

L'époque de Bonaparte, Paris, Puf, coll. «Licence», 2009.

Napoléon expliqué à mes enfants, Paris, Seuil, 2009.

Les Bonaparte. Regards sur la France impériale, Paris, La Documentation française, 2010.

Napoléon Bonaparte. Le 1er Empire, Paris, Éditions Jean-Paul Gisserot, 2011.

Discours de guerre de Napoléon (présentation), Paris, Pierre de Taillac Éditions, 2011.

Monseigneur Darboy (1813-1871), archevêque de Paris. Entre Pie IX et Napoléon III, Paris, Éditions du Cerf, coll. «Histoire», 2011.

Napoléon et la campagne de Russie. 1812, Paris, Armand Colin, 2012.

Lettres de la campagne de Russie. 1812 (présentation), Paris, Pierre de Taillac Éditions, 2012.

Un député à travers la Révolution et l'Empire. Journal de François-Jérôme Riffard Saint-Martin, introduction, édition et notes, Paris, SPM, Collection de l'Institut Napoléon n° 10, 2013.

Napoléon et la campagne de France. 1814, Paris, Armand Colin, 2014.

Citoyenneté, République et Démocratie en France, 1789-1899, Paris, Armand Colin, coll. «U», 2014.

Napoléon et la dernière campagne. Les Cent-Jours. 1815, Paris, Armand Colin, 2015.

De Vercingétorix à Villepin. Les plus grands discours de guerre de l'histoire de France (présentation), Paris, Éditions Pierre de Taillac, 2015.

Les Naufragés de la Méduse, Paris, Belin, 2016.

L'Empire des polices. Comment Napoléon faisait régner l'ordre, Paris, Vuibert, 2017.

Jacques-Olivier Boudon

Le plancher de Joachim
L'histoire retrouvée d'un village français

Belin⁝

COLLECTION **H**ISTOIRE

En couverture : Gustave Caillebotte, *Les Raboteurs de parquet* (détail), huile sur toile, 1875. Paris, musée d'Orsay. © Electa/Leemage.

© Éditions Belin / Humensis, 2017
170 bis, boulevard du Montparnasse, 75680 Paris cedex 14
ISSN 2270-4922 – ISBN 978-2-410-00603-2

INTRODUCTION

Août 2009, je décide d'emprunter la fameuse route Napoléon qui, depuis Cannes jusqu'à Grenoble, en passant par Gap, traverse les Alpes. C'est par cette voie que Napoléon a décidé de gagner Paris au retour de l'île d'Elbe, en mars 1815, pour éviter la vallée du Rhône et une population acquise à la cause royaliste. À l'approche du bicentenaire des Cent Jours et préparant un livre sur 1815, je me devais d'explorer en détail les lieux traversés par l'empereur. À Gap, je m'accorde néanmoins un détour, en direction d'Embrun, remontant le cours de la Durance. Six kilomètres avant Embrun, au village de Crots, naguère les Crottes, se dresse le château de Picomtal, serti de ses tours anciennes. Il offre des chambres d'hôte aux visiteurs désireux de se replonger dans une ambiance médiévale. Je m'y arrête pour la nuit. Ce soir-là, un spectacle retrace l'histoire du château. Le scénario met en scène un menuisier ayant vécu à la fin du XIXe siècle qui raconte sa vie et parle du village. Le lendemain, j'interroge les propriétaires : ils m'apprennent comment ils ont découvert, quelques années plus tôt, sous les planches du parquet qu'ils changeaient dans plusieurs pièces, des phrases écrites au crayon noir. Elles avaient été inscrites par le menuisier en charge des précédents travaux de rénovation, au début des années 1880. Pour un historien, ce type de découverte est tout à fait exceptionnel. Immédiatement, je perçois le caractère inédit de cette source et j'obtiens des propriétaires qu'ils me confient le matériau qu'ils ont récupéré. L'aventure commence. Il faut d'abord identifier le menuisier et les personnages dont il parle, il faut ensuite tenter de comprendre dans quel ordre il a écrit les phrases qu'il a laissées, se plonger enfin dans son âme pour saisir le message qu'il a voulu nous transmettre.

Les traces laissées par les gens du peuple sont rares. En faisant revivre Louis-François Pinagot, et surtout en considérant que les gens du peuple qui avaient pris la plume étaient sortis de leur condition, Alain Corbin a suscité un débat parmi les historiens[1]. Alain Corbin avait choisi au hasard le personnage qui est au centre du *Monde retrouvé de Louis-François Pinagot*, reconstituant son environnement immédiat à partir de sources variées, mais sans avoir pu disposer de la moindre source biographique, même pas un interrogatoire de police. À peine Pinagot avait-il signé une pétition à la fin de sa vie. Le menuisier de Picomtal au contraire a laissé des traces de son existence. Il n'est certes pas le premier. Plusieurs ouvriers ou artisans ont aussi raconté leur vie. Parmi eux figurent précisément des menuisiers, sans doute parce que le menuisier a en permanence un crayon à la main et qu'il multiplie les marques sur les pièces de bois qu'il travaille ou signe les meubles qu'il fabrique. On connaît bien Agricol Perdiguier, compagnon du tour de France devenu représentant du peuple en 1848[2]. Moins connus sont le nivernais Fourquemin ou le menuisier au Grand-Abergement dans l'Ain, nommé Bellod, qui ont tenu un journal au jour le jour, récemment publiés[3]. Mais les mots laissés par le menuisier du château de Picomtal, Joachim Martin, que même son nom ne prédestinait pas à sortir de l'anonymat, sont d'une autre nature. Ses écrits forment un témoignage exceptionnel, et ce à plus d'un titre. Leur auteur livre ses pensées, ses réflexions, sans tabou, car il sait qu'il ne sera pas lu, du moins de son vivant. Menuisier, il choisit comme support pour l'écriture de son journal l'envers des planches qu'il est en train de poser dans les diverses pièces du château de Picomtal. Parfois, il écrit même sur les morceaux de bois qui lui servent de cale. Il sait que le plancher ne sera pas refait avant 60 ou 80 ans – en fait, il faudra attendre 120 ans pour que les planches soient découvertes. Il se confie donc, avec la volonté de laisser une trace de son existence. Ses propos sont parfois obscurs mais il laisse suffisamment d'indices pour permettre, avec un peu de perspicacité, de saisir ce qu'il a voulu nous dire. Il s'adresse à nous, contemporains des débuts du XXIᵉ siècle et nous lance un défi. J'ai accepté de le relever. À la différence d'Alain Corbin, sélection-nant Pinagot au hasard dans les tables décennales de la Basse-Frêne dans l'Orne, je n'ai pas choisi Joachim

Martin. D'une certaine manière, c'est lui qui m'a élu. Je n'ai pas été le premier lecteur de ses écrits, mais j'ai été le premier à chercher à le comprendre en explorant au plus profond les tréfonds de son âme. Car au-delà de ce qu'il raconte, c'est une personnalité inattendue qui apparaît, un personnage à certains égards aussi exceptionnel que le meunier exhumé par Carlo Ginzburg[4]. La diversité des thèmes qu'il aborde permet de cerner la personnalité d'un homme, de percevoir ses préoccupations, mais aussi d'entrevoir les contours de sa vie intérieure. De ce point de vue, ses propos, parfaits exemples d'une « écriture ordinaire[5] », relèvent de la littérature du for privé dont l'étude est en plein renouveau[6].

Ces propos se présentent sous la forme de 72 textes de quelques mots à quelques lignes, écrits au crayon noir sur la face cachée des lattes de parquet posées par Joachim Martin, dans diverses pièces du château de Picomtal, autour des années 1880 et 1881. Au total, ces 72 textes contiennent près de 4 000 mots, ce qui représente à peine 20 000 signes. Ces 72 textes sont partiellement datés, mais il est impossible de les replacer dans l'ordre exact de leur rédaction. Il est aussi probable qu'ils ne forment que la partie immergée d'un ensemble plus vaste. Plusieurs pièces du château n'ont pas été refaites. De même, Joachim a travaillé dans d'autres maisons. Dans quelle mesure a-t-il usé de la même pratique sur les autres chantiers qui lui ont été confiés au cours de sa carrière ? Quoi qu'il en soit, cette forme d'écriture est, sous bénéfice d'inventaire, totalement inédite. Il existe de nombreuses manières d'exprimer des paroles ordinaires, à commencer par les graffitis sur les murs des villes, mais aussi des prisons, voire sur des œuvres d'art, qui s'apparentent le plus aux inscriptions sous les planchers, à la différence près que les graffitis sont immédiatement visibles et donc lisibles, alors que les inscriptions sous les planchers sont délibérément celées de son vivant par leur auteur même[7]. Ces bribes permettent de reconstituer l'environnement quotidien, mais aussi mental, d'un menuisier, et partant de se livrer à un exercice de microhistoire susceptible d'offrir une meilleure connaissance de la société villageoise à l'aube de la République des républicains, tout en l'ancrant dans une histoire qui doit remonter à la Révolution française et se prolonger jusqu'à nos jours.

Car au-delà de Joachim Martin, c'est tout un village qui apparaît, voire un pays, la région d'Embrun. Joachim en est originaire et y reste très attaché, même s'il nourrit quelques rancœurs à l'égard de certains de ses concitoyens. Il évoque plus qu'il ne raconte la vie quotidienne des paysans des Hautes-Alpes et nous invite à en savoir davantage. Pour aller plus loin, il a fallu mettre en œuvre la pratique de l'historien, chercher d'autres archives pour éclairer les propos de Joachim, croiser ces sources puisées aussi bien aux archives nationales que dans les archives locales. Au fil de mes recherches, j'ai recroisé Joachim, qui n'est pas simplement l'homme du plancher de Picomtal, mais aussi un citoyen ordinaire dont on peut connaître la famille, l'environnement social, dont on peut savoir quels étaient ses revenus, l'état de ses propriétés. J'ai découvert que la plupart des propos laissés sous les planches pouvaient être corroborés par d'autres sources. Le choc fut réel lorsque j'ai retrouvé l'écriture de Joachim, au détour d'un carton d'archives, d'abord au bas d'une pétition conservée aux Archives nationales, adressée au ministre des Cultes et signée par une partie des paroissiens des Crottes contre leur curé, ensuite dans une lettre écrite précisément pour dénoncer ce même curé, lettre conservée aux Archives départementales des Hautes-Alpes. Mais Joachim a aussi laissé sa trace plus sobrement sur nombre d'actes d'état civil, sur les listes d'émargement établies à l'occasion des élections ou encore sur un contrat d'engagement comme sapeur-pompier. Avec ce livre s'achève donc une aventure commencée il y a huit ans, huit années pendant lesquelles j'ai appris à connaître Joachim Martin et souhaité faire partager son existence. Il n'a rien d'un héros. C'est un homme du peuple, un petit propriétaire, comme la France en a tant connu alors. Mais c'est surtout un homme qui a voulu transmettre un message à ses descendants. Il a une claire conscience du temps qui passe et veut s'inscrire dans l'histoire. C'est aussi en cela qu'il est passionnant car il nous permet de retrouver un monde perdu tout en nous forçant à nous interroger sur le sens de la vie tel que pouvait le concevoir un homme de la fin du XIXe siècle, en un questionnement qui reste naturellement toujours actuel.

UN MENUISIER DES HAUTES-ALPES

«Heureux mortel. Quand tu me liras, je ne serai plus[1]», écrit Joachim Martin sur l'une des planches retrouvées. Il manifeste clairement sa volonté de laisser une trace de son existence, mais aussi de ses pensées. «Mon histoire est courte et sincère et franche, car nul que toi ne verra mon écriture, c'est une consolation pour s'obliger d'être lu.» Il s'adresse évidemment, au-delà des années, au menuisier qui, en refaisant à son tour le plancher, lira un jour ses écrits. Et Joachim dialogue avec lui, interpellant à plusieurs reprises son «ami lecteur». «Ami lecteur le temps passe et ne se ressemble pas» ou encore «Ami lecteur quand tu prendras femme». À quoi peut-il alors penser? Quel secret veut-il dérober à ses contemporains? Pourquoi ne pas en effet tenir un journal en bonne et due forme, voire coucher ses pensées sur son livre de compte? Ses premiers propos révèlent un homme soucieux de ne pas emporter dans la tombe les secrets qu'il porte en lui, mais en même temps trop craintif pour affronter la société villageoise qu'il décrit avec tant de sagacité.

Dans sa réflexion sur sa manière d'agir, il s'étonne de ne pas avoir eu de devancier dans sa pratique d'écriture. «Depuis 55 ans que nous travaillons ici nous n'avons rien trouvé qui indique l'histoire. Pas un coup de plume, ni crayon. Ne fais pas comme eux, écris toujours ta date. 1880.» Non seulement Joachim date ses écrits, du moins une partie d'entre eux, ce qui est suffisant pour les situer en août et septembre 1880 et 1881, mais il les signe: «1880 Martin Joachim du village Crottes 38 ans». Et ailleurs: «Martin Joachim avoir fait le plancher en août 1880 à 0,75 franc le mètre carré pour Mr Roman ex avocat.» Il associe son père à la réflexion qu'il formule, voulant peut-être indiquer que ce dernier, également menuisier, lui a montré la voie. Ce père a un temps aussi fabriqué des briques, lesquelles sont généralement signées par leur auteur. Une autre branche de sa famille est composée de potiers qui ont eux aussi l'habitude de signer leur production. Les menuisiers du Queyras voisin signent volontiers leurs meubles de façon ostensible, barrant le devant des buffets de leur nom, souvent suivi d'une date[2]. Le menuisier des Hautes-Alpes entend les imiter, mais il ne se contente pas de signer. Il raconte sa vie.

À la découverte de Joachim Martin

Grâce aux indices laissés au revers des planches, le menuisier du château a pu être identifié. Il se nomme Joseph Joachim Martin. Il est né au village des Crottes le 18 avril 1842. Son père, Jean-Joseph Martin, auquel il fait plusieurs fois allusion, alors qualifié de menuisier, a 22 ans à la naissance de son fils, étant lui-même né le 28 mars 1820, dans une famille de cultivateurs implantée sur la commune de longue date[3]. Les grands-parents paternels de Joachim s'étaient mariés aux Crottes le 1er mai 1817, également jeunes, puisque son grand-père, prénommé Jean-Joseph, était né le 6 pluviôse an IV (26 janvier 1796)[4] et sa grand-mère, Marie-Anne Maurel, le 19 avril 1793[5]. Si l'on remonte à la génération précédente, on retrouve encore des cultivateurs originaires du village. L'arrière-grand-père de Joachim, Étienne Martin, était ainsi le fils de paysans des Crottes. À la fin du Premier Empire, Étienne Martin paie 15,39 francs d'impôts, soit l'équivalent de trois journées de travail (10,98 de taxe foncière, 1,81 franc pour la taxe personnelle et mobilière et 2,60 francs d'impôt sur les portes et fenêtres)[6]. Joachim n'a pas connu cet arrière-grand-père paternel, mort huit ans avant sa naissance, le 5 février 1834, à l'âge de 78 ans, dans sa maison située dans le hameau de Picomtal. Il n'a pas connu non plus son arrière-grand-mère paternelle, Marguerite Sarrazin, décédée le 9 juin 1838, à 80 ans, chez son fils aîné, Jean-Louis, qui a hérité de la maison familiale. Elle était elle aussi originaire des Crottes où ses parents, Jean Sarrazin et Marguerite Blanc, étaient cultivateurs.

Du côté des Maurel, l'arrière-grand-père, Jacques, meurt en 1829 à 84 ans. Il était veuf depuis trois ans de Catherine Faure, décédée le 9 mai 1814 à 60 ans et elle aussi enracinée dans le village où ses parents étaient également cultivateurs. Leur fille, Marie-Anne Maurel, grand-mère paternelle de Joachim, avait déjà été mariée, avec François Maure, originaire d'Embrun, le 22 mai 1811[7] et avait eu de ce premier mariage trois filles. À la veille de son mariage, le père de Joachim vit avec ses parents, mais aussi avec son frère cadet, François, et ses deux sœurs, Adèle et Émilie. Il a également un frère aîné, Jean-Louis, qui est déjà installé. Ses parents ont bien connu le jeune Joachim, dont le grand-père paternel meurt en janvier 1860 et sa grand-mère, Marie-Anne Maurel en 1885. Cette dernière est donc toujours en vie quand Joachim écrit sous les planches du château. La famille paternelle de Joachim est ainsi originaire du village depuis au moins deux générations. Elle est composée de paysans de longue date. On ne sait pas ce qui a poussé son père à devenir menuisier.

Par sa mère en revanche, Joachim a des origines qui débordent vers le Dauphiné et la Provence. Adélaïde Laville est une jeune femme d'à peine plus de 20 ans au moment de son mariage. Née à La Mure (Isère) le 5 juin 1821, elle est arrivée aux Crottes à l'âge de dix ans avec ses parents. Son père, Pierre Laville, était lui-même originaire de Cliousclat, un village de potiers de la Drôme.

C'est du reste cette activité de potier qu'il exerce à La Mure d'abord, aux Crottes ensuite. Son épouse, Madeleine Gapiand, est qualifiée de couturière au moment du mariage d'Adélaïde. Elle meurt en juin 1855, ce qui signifie que Joachim a connu sa grand-mère maternelle. Elle est alors veuve, mais on ignore à quelle date est mort Pierre Laville. Adélaïde avait une sœur, Suzanne, également née à La Mure, le 21 juin 1814. Elle y épouse d'abord François Bernard puis, devenue veuve, se remarie, le 27 juillet 1845, avec Charles Belletty, lui-même originaire de Vif en Isère, âgé de 34 ans et venu s'installer comme potier aux Crottes. Jean-Joseph, le père de Joachim, est l'un des témoins de leur mariage. Leurs enfants sont donc les cousins de Joachim. Ils sont un peu plus jeunes que lui. Il s'agit d'Eugène Charles né le 8 septembre 1849, d'Ernest Charles, né le 16 mai 1852, et de Félix, né le 20 janvier 1856. La famille déménage ensuite à Embrun, puis se disperse[8].

Le mariage des parents de Joachim a lieu un mois à peine avant sa naissance[9]. Joseph Joachim est donc un enfant conçu hors mariage. On imagine que l'annonce de la grossesse a précipité l'union entre deux jeunes gens qui ont à peine plus de vingt ans. Ils se marient alors civilement, et ne passent pas par l'église. Ceci s'explique par le fait que la mère de Joachim est protestante, comme j'ai pu le découvrir en scrutant les registres paroissiaux conservés aux archives diocésaines de Gap. Étonné de ne pas y trouver l'acte de mariage des parents de Joachim, je me suis rabattu sur son acte de baptême, lequel ne laissait aucun doute sur les raisons expliquant l'absence de mariage religieux. Joseph Joachim y était en effet qualifié de «fils illégitime et naturel de Jean-Joseph Martin et d'Adélaïde Laville hérétique». Joachim est néanmoins baptisé, ses grands-parents paternels, choisis pour être ses parrain et marraine, s'engageant à le faire élever dans la religion catholique[10]. La famille Laville appartient donc à la communauté protestante très fortement implantée à Cliousclat où un temple a été reconstruit en 1831. Aux Crottes en revanche, les protestants sont peu présents. Lorsque l'évêque de Gap, Mgr Depéry, effectue sa visite pastorale en 1844, le curé n'en signale que six, évoquant deux mariages civils[11]. Il fait directement allusion aux Laville dont les deux filles se sont mariées avec des catholiques des Crottes.

Joachim est l'aîné de huit enfants dont les derniers naissent dans les années 1850. Il fait une brève allusion à cette fratrie en en grossissant le nombre: «Une sœur qui a une jambe de bois âgée de 32 ans, mariée à un fou cafetier à Embrun; voilà ce qui reste de mes douze frères.» Son enfance a été rythmée par la naissance, mais aussi par la mort en bas âge de plusieurs de ses frères et sœurs. Cette impression d'être un survivant est sans doute accentuée par son statut d'aîné. Un an après lui, sa mère accouche d'une fille, prénommée Élisabeth Adélaïde qui, née le 22 novembre 1843, décède à dix-huit mois le 22 mai 1845. La mère de Joachim est alors enceinte de son troisième enfant, une fille qui vient au monde le 1er juillet 1845. Prénommée Marie Adèle, elle ne survit pas plus longtemps que son aînée puisqu'elle décède à un an, le 25 juillet 1846. Le 27 juin 1847, la famille accueille une nouvelle fille, évoquée plus haut, et qui se prénomme Marie-Émilie Delphine. Puis naît Eugénie Adèle Madeleine, le 22 décembre 1849 ; elle meurt à un an, le 2 février 1851. Marie Anaïs Élodie, née le 21 octobre 1852, meurt le 19 janvier 1857. Puis le couple fait une pause de cinq ans, élevant donc, de 1852 à 1857, trois enfants. Ce n'est que onze mois après la mort de Marie Anaïs Élodie que naît leur septième enfant, Jean Désiré, qui voit le jour le 28 décembre 1857 ; il vit un peu plus longtemps mais ne parvient pas à l'âge adulte puisqu'il meurt à 17 ans le 3 mai 1874. Enfin vient au monde Adèle Adélaïde le 16 décembre 1860, la dernière enfant du couple, qui meurt à quatre ans, le 6 avril 1864. Un examen précis de l'état civil n'a donc permis d'identifier que huit enfants au lieu des douze évoqués par Joachim : soit il a amalgamé à sa fratrie des cousins, soit il a surestimé le nombre de ses frères et sœurs avec à l'esprit le souvenir d'une multitude de naissances. Cette famille nombreuse est encore agrandie par la présence en son sein de la grand-mère paternelle, Marianne Maurel qui, après la mort de son mari, vit avec son fils et sa belle-fille. En 1866, le ménage a encore la charge d'un fils de sept ans, Désiré[12]. La mère de Joachim meurt le 31 juillet 1868[13], sans doute épuisée par les grossesses et la direction d'une aussi grande famille. Au moment où il écrit, Joachim n'a donc plus qu'une sœur vivante, Marie-Émilie Delphine Martin. Elle avait épousé aux Crottes le

12 février 1873 Jean Joseph Philip, aubergiste à Embrun, elle-même étant alors domestique dans cette ville.

La famille de Joachim vit dans une relative aisance. Le père, Jean-Joseph, est désigné comme cultivateur au moment de la naissance de son fils puis lors de la naissance de ses premiers enfants, tandis que sa mère apparaît comme tailleuse ou couturière. Mais Jean-Joseph est surtout artisan menuisier comme le sera son fils, du moins à partir de la fin des années 1840 lorsque ses activités de menuisier, vraisemblablement antérieures, prennent le pas sur celles de cultivateur. Joachim y fait plusieurs allusions. « Martin Jean-Joseph a travaillé ici de 1838 à 1878. Mort en 1878 âgé de 60 ans. Est mort minable et insolvable. » En fait, son père est mort le 28 février 1879. Il s'est pourtant interrompu dans son activité de menuisier pendant vingt ans si l'on en croit son fils : « En 1850 mon père eut des discussions avec les gens du pays. C'est ce qui le décida à laisser le métier de menuisier l'espace de 20 ans pour faire des briques. » Sans doute fait-il allusion à quelques différends à propos du règlement de divers chantiers. Mais il était trop jeune au début des années 1850 pour voir en son père un entrepreneur qui a souhaité se lancer dans une nouvelle activité et profiter du dynamisme économique qui accompagne les débuts du Second Empire. Jean-Joseph a en effet développé en 1854 un projet de construction d'une fabrique de briques et de tuiles au quartier dit des Pautasse, à proximité du torrent de Boscodon, sur une parcelle où affleure une ligne de bauxite. Le projet séduit les autorités locales,

Jean-Joseph ayant expliqué qu'en l'absence de briqueterie dans la région, les maçons devaient se rendre à Gap pour en trouver[14]. Le maire des Crottes certifie par ailleurs que la parcelle retenue se trouve éloignée du village et surtout de la forêt. On craint naturellement l'incendie. Le sous-préfet ayant donné un avis favorable, l'autorisation de construction est donnée le 29 juin 1854. Le père de Joachim est désormais fabricant de tuiles et de briques. Il entraîne son fils dans l'aventure, ce que ce dernier ne semble guère avoir goûté, rappelant qu'il y a passé une partie de sa jeunesse : « Esclave du malheur que j'étais. » L'expérience est cependant de courte durée, Jean-Joseph cédant la tuilerie à Paul Lozio, un potier d'origine pié-montaise, âgé de 65 ans en 1856, qui l'exploite avec son fils Achille, âgé de 35 ans. Au recensement de 1856, Jean-Joseph est qualifié de journalier, puis il reprend peu après ses activités de menuisier. C'est à cette époque que Joachim emprunte cette même voie.

Malgré cet échec, le père de Joachim connaît une aisance relative, que traduit le paiement, au début des années 1860, d'une taxe foncière s'élevant à 51,79 francs, réduite à 21,37 francs dans les années 1870[15]. À sa mort, il laisse des biens estimés à 500 francs, comprenant une maison en indivision avec son frère dans le village, 83 ares de vignes, de labours et de taillis également partagés avec son frère[16]. C'est un capital modeste mais qui le place dans la partie supérieure des classes populaires. En décla-rant que son père est mort « minable et insolvable », Joachim force le trait, et fait sans doute allusion à son incapacité à régler la question de l'indivision avant sa mort. Cependant, du fait du décès de sa sœur, c'est lui qui se retrouve à la tête de tout ce qu'a laissé son père. C'est avec ce dernier aussi qu'il a appris le métier de menuisier, reprenant un flambeau familial que le père n'a pas totalement abandonné.

Joachim ne s'attarde pas sur son enfance. Il vivait alors avec ses parents chez ses grands-parents paternels au village. Il a fort vraisemblablement fréquenté l'école des Crottes, mais sans doute de manière irrégulière, comme beaucoup d'enfants en cette époque qui a précédé l'obligation scolaire. On dispose de peu de traces de la scolarisation aux Crottes, mais aucun des deux documents qui répertorient les élèves payant la rétribution scolaire en janvier et février 1850, alors que Joachim s'apprête à avoir neuf ans, ne mentionne son nom[17]. Ils indiquent néanmoins l'irrégularité de la scolarisation. En janvier, 30 élèves ont acquitté cette rétribution ; ils ne sont plus que 19 le mois suivant. Il est vrai que dix autres élèves en sont exemptés. L'absence de Joachim de ces listes signifie soit qu'il fait partie des dix élèves admis gratuitement à l'école, ce qui est peu probable étant donné le niveau social de son père, soit qu'il n'a pas fréquenté l'école au début de 1850. La dernière hypothèse serait qu'il ait reçu les rudiments d'instruction chez lui, peut-être de sa mère, dont on rappelle qu'elle est de confession protestante, les protestants étant réputés pour favoriser l'apprentissage de la lecture nécessaire à la pratique quotidienne de la Bible. C'est en tout cas à l'école ou chez lui qu'il apprend à lire, à écrire, à compter, mais aussi à dessiner. Il y acquiert enfin les premiers rudiments d'histoire. Les propos laissés sous les planches dénotent en effet une culture variée. Ils révèlent aussi une prose souvent incorrecte et dysorthographique, mais Joachim doit écrire vite, en phrases syncopées.

Joachim nostalgique de sa jeunesse

Joachim a 38 ans quand il se livre sur les planches du parquet de Picomtal. Il est marié et père de quatre enfants et a le sentiment d'une perte. Il fait un retour sur son passé, se remémore l'époque de sa jeunesse dont il garde un excellent souvenir. Ce temps révolu, évoqué avec nostalgie, est aussi celui de la fête : «Heureux mortel [...] sois plus sage que moi de 15 ans à 25 ne vivant que d'amour et d'eau-de-vie faisant peu et dépensant beaucoup. Ménétrier que j'étais.» Joachim avoue avoir beaucoup joui de la vie, avoir beaucoup bu et courtisé les jeunes filles de la région. Son statut de ménétrier l'y a naturellement aidé. Le ménétrier est en effet un personnage central de la vie festive des Hautes-Alpes. Il intervient notamment dans les vogues, nom donné aux fêtes patronales. «La veille de la fête, raconte le baron Ladoucette, qui fut préfet des Hautes-Alpes sous le Premier Empire, on va à la quête du ménétrier, on plante un mai dans le champ de la danse, et l'on choisit le plus apparent du pays, pour être, sous le titre d'abbé, le régulateur des plaisirs, le maître des cérémonies, le dépositaire des droits et de l'honneur du village[18].» Le ménétrier accompagne le personnage désigné sous le nom d'abbé dans sa tournée du village quand, au matin de la fête, il s'en va faire le tour des familles où des filles sont à marier, les fait danser avant qu'elles ne lui remettent un ruban qu'il accroche à sa canne. Le cortège se rend ensuite au lieu du bal où le ménétrier continue de jouer du violon. Il chante des chansons d'amour, sans doute à l'image de cette ritournelle mettant en scène une jeune femme éprise de danse :

> Nous allions aux fêtes du village
> Nous dansions dans les mêmes rondeaux
> Pour amuser cette volago
> J'allais prendre pour elle des zozeaux[19].

Naturellement, ce contact privilégié est l'occasion de rencontres féminines dont Joachim ne se cache pas. Il donne même ailleurs des détails, évoquant la femme de l'adjoint au maire, Casimir Gras : «De mon temps dès 18 ans je cajolais sa femme encore fille âgée de 16 ans.» En fait, Joséphine Célestine Garcin, née le 2 mars 1842, a le même âge que Joachim. Il avait donc plutôt seize ans que dix-huit quand ils se sont fréquentés, à condition qu'il n'affabule pas. Joséphine a épousé Casimir Gras le 24 septembre 1868, soit dix ans après les faits relatés par Joachim.

Joachim a mené cette existence pendant une dizaine d'années, de quinze à vingt-cinq ans, soit de l'adolescence à son mariage, environ de 1857 à 1867. Ces dix années correspondent à une période de prospérité pour les campagnes. C'est le temps du Second Empire marqué par une croissance économique réelle dont ont profité tous les secteurs d'activité. Au salaire qu'il touche comme menuisier s'ajoutent aussi les rétributions versées pour sa participation aux divers bals de la région, car il ne se contente pas de se produire dans la région d'Embrun. Il écume, si on l'en croit, les bals de Gap à Briançon. Vingt ans plus tard, Martin continue à jouer du violon dans les fêtes villageoises. « Hier dimanche 4 septembre la fête a été belle à Savines et je crois qu'il en sera de même à Embrun. » Ces bals lui rapportent encore quelques compléments de revenus. « Hier St Laurent tout s'est bien passé. Robert de Baratier et sa femme ont diné chez moi et le soir jouer au violon : 10 francs. » Il gagne donc deux fois et demie, en jouant du violon, ce que lui rapporte une journée de travail.

Mais les belles heures de sa jeunesse sont passées : « Pour moi je languis sur cette terre, hélas où j'ai passé de si beaux jours comme le plus fort ménétrier violon. De Gap à Briançon l'on te parlera de moi. » Quarante ans après que Joachim a parlé des bals de sa jeunesse, au début du XXᵉ siècle, le curé des Crottes souligne combien cette tradition de danse était très ancrée dans le village : « La jeunesse en général est très volage. Elle maintient parfaitement la réputation des habitants des Crottes qui, de longue date, ont celle d'être de forts danseurs. Un bal est installé en permanence, presque tous les dimanches, tout à côté de l'église[20]. » Même s'il a continué à jouer du violon, Joachim a dû modérer ses ardeurs au moment de son mariage.

25

L'installation en ménage

Au milieu des années 1860, Joachim choisit de s'installer seul. Ses parents n'ont plus avec eux qu'un fils, Désiré, leur fille Delphine ayant également quitté le domicile familial. En revanche, ils continuent d'héberger Marie-Anne Maurel, grand-mère paternelle de Joachim. Joachim parle peu de son épouse, mais évoque son mariage : « Marié en 1868 avec une fille Robert ex maire des Crottes, âgée de 18 ans simple et modeste ayant jamais vu aucune pine avant son mariage avec moi. » Sa mémoire flanche quelque peu, car il s'est marié le 26 avril 1870, avec Marie-Virginie-Antoinette Robert, mais peut-être en évoquant 1868 fait-il allusion à leurs premiers échanges amoureux, ce qui expliquerait l'allusion à caractère sexuel qu'il formule. Si les deux jeunes gens ont eu des relations sexuelles avant leur mariage, la femme de Joachim n'avait apparemment pas eu d'autres aventures au préalable, ce qui paraît presque inhabituel aux yeux de Joachim.

Née aux Crottes le 18 mai 1851, Marie-Virginie-Antoinette Robert est la fille d'Honoré Antoine Robert, mort le 19 juillet 1868, qui est qualifié de cultivateur sur son acte de décès, et de Marie Henriette Broche, cultivatrice[21]. Sa famille est enracinée aux Crottes et y jouit d'un certain prestige. Son grand-père, Antoine Robert, propriétaire cultivateur, fut commandant de la garde nationale du village en 1791, puis brièvement maire des Crottes au début du Consulat. La première femme d'Honoré Antoine étant décédée le 11 mars 1842, il épouse en secondes noces, toujours aux Crottes, le 11 janvier 1848, Marie Henriette Broche, qui y était née en 1826. Les deux époux ont donc 19 ans d'écart. Ils ont eu quatre enfants. Marie-Virginie-Antoinette est la deuxième d'une fratrie qui compte également trois garçons. Honoré Antoine suit la tradition familiale en s'engageant dans la garde nationale au début de la monarchie de Juillet, se faisant même élire sergent en février 1832, signe d'une certaine popularité et d'une relative aisance[23]. Peu après son remariage, le futur beau-père de Joachim a, comme il l'évoque, été élu maire des Crottes, en juillet 1848. Il conserve cette fonction jusqu'en août 1852. Il est donc le maire de la Seconde République, ce qui autorise à le considérer comme de sensibilité républicaine.

Le mariage de Joachim s'est ainsi fait au-dessus de sa condition, par amour, souligne-t-il, mais non sans conséquence néfaste sur son couple. « Ce mariage d'inclination ne porta aucun bonheur car ses parents furent toujours mes ennemis sauf celui de Baratier Robert oncle à ma femme et frère à son père Hippolyte Robert. » Le propos est clair. Joachim est mal accepté par sa belle-famille qui lui reproche vraisemblablement d'en vouloir à son argent. Et ailleurs, Joachim précise sa pensée : « Ami lecteur quand tu prendras femme demande-lui son instruction et non pas d'argent pour dot. » On ne sait à quoi exactement Joachim fait allusion, mais sans doute espérait-il être davantage secondé par sa femme dans la tenue de ses registres de comptes et dans la gestion de ses affaires. La mention des mauvaises relations entretenues avec ses beaux-parents peut surprendre si l'on se souvient que son beau-père est mort deux ans avant le mariage. Quant à sa belle-mère, elle est décédée le 25 juin 1876. Sans doute fait-il donc davantage allusion à l'attitude de ses beaux-frères. Pourtant, en 1881, le plus jeune d'entre eux, Antoine Auguste, est recensé au foyer de Joachim, peut-être en contrepartie d'avantages consentis au couple. Il effectue alors son service militaire[24]. Les relations sont meilleures avec l'un des oncles de sa femme, nommé Hippolyte Robert. Né le 6 novembre 1815 aux Crottes, il est propriétaire cultivateur à Barratier, commune limi-trophe des Crottes qui compte alors 225 habitants. Il est témoin au mariage de Joachim, comme il l'avait été à celui de son frère en 1848. La qualité des autres témoins révèle aussi le statut social du couple. Parmi eux figurent Charles Bellety, oncle maternel de Joachim, âgé de 57 ans, fabricant de poterie, domicilié aux Crottes, Casimir Broche, âgé de 50 ans, épicier et oncle de l'épouse, et enfin Honoré-Auguste Philip, né le 31 octobre 1838[25], aubergiste, ami de Joachim à l'époque de son mariage. Les familles Philip et Robert sont également liées, le beau-père de Joachim étant témoin à la naissance d'Honoré-Auguste Philip dont il est également le parrain. Le mariage civil a été suivi d'un mariage religieux, célébré le même jour.

Joachim et sa femme ont eu quatre enfants, mais notre menuisier n'en parle jamais, du moins dans les propos retrouvés. La naissance de ces quatre enfants s'est éche-lonnée entre 1871 et 1877. L'aînée, Noélie-Henriette, est née le 25 décembre 1871, le deuxième, Jean-Baptiste, le 24 juin 1873. Le troisième enfant est également un garçon, Joseph-Casimir-Édouard; il naît le 1er mai 1875[26]. Le 14 septembre 1877 enfin naît Émilie-Jeanne. Cette dernière meurt huit mois plus tard, le 2 mai 1878[27]. En revanche, les trois aînés parviennent à l'âge adulte.

CHAPITRE II

UN VILLAGE DES HAUTES-ALPES

Joachim est très disert sur son cadre de vie. Il évoque son environnement immédiat, comme aussi les habitants du village où il est né, où il vit et accomplit l'essentiel de ses activités. Il est donc temps de présenter le cadre de son histoire.

Le village des Crottes

Au moment où Joachim Martin trace avec son crayon des mots qui révèlent ses pensées sous les planchers du château de Picomtal, la commune des Crottes abrite, selon le recensement de 1881, une population de 1313 habitants[1]. Ils sont répartis entre le village proprement dit et une soixantaine de hameaux, écarts ou fermes isolées[2]. La population des Crottes a amorcé depuis le milieu du siècle un lent déclin qui s'accélère durant les années 1880.

31

Elle avait atteint un pic en 1831 avec 1496 habitants, oscillant dans les quinze années suivantes entre 1457 et 1490 habitants, pour retomber à 1441 en 1851, 1360 en 1861 et donc 1313 en 1881. Encore, ce dernier chiffre doit être précisé, car il englobe 93 ouvriers étrangers venus travailler de façon temporaire sur les chantiers de travaux publics liés à la construction du chemin de fer. En soustrayant cette présence temporaire, la population de la commune des Crottes s'établit à 1220 habitants. La baisse se poursuit ensuite, avec une perte de près de cent habitants en cinq ans, pour une population qui est donc de 1123 âmes en 1886, puis se stabilise entre 1080 et 1050 jusqu'au début du XXᵉ siècle. Joachim assiste donc à une mutation de la démographie de son village, amorcée au cœur du Second Empire, quand s'accélère le phénomène de l'exode rural, puis à nouveau au début des années 1880. Au début des années 1870, l'exode rural est encore modéré en France ; il concerne environ 100000 personnes par an, qui quittent les campagnes pour se rendre en ville où elles espèrent trouver du travail. Il est en revanche beaucoup plus prononcé en montagne. L'arrivée du chemin de fer dans la région facilite les migrations. Les Hautes-Alpes ont toujours été une terre d'émigration. Les registres d'état civil l'attestent à travers la mention fréquente de l'absence du père lors d'une déclaration de naissance. Plus généralement, les jeunes gens quittent la région pendant l'hiver en direction du sud, et notamment de Marseille. Mais il s'agissait alors de migrations saisonnières. Les migrants partaient pendant l'hiver et revenaient chaque année au début de l'été, pour participer aux travaux agricoles et aux moissons. À partir des années 1860, et surtout des années 1880, l'émigration devient définitive, comme l'illustrent plusieurs exemples pris au sein même de la famille de Joachim. Les fils de sa tante maternelle ont ainsi tous quitté le village. Eugène Charles Belletty s'est installé comme potier à Pertuis dans le Vaucluse, puis a participé à la guerre de 1870-1871[3]. Il rejoint en 1889 à Sainte-Adresse, près du Havre, son frère, Ernest Charles[4]. Leur troisième frère, Félix, employé de commerce, s'installe à Gap en 1885[5].

L'accélération de l'exode rural a contribué à une baisse très forte de la natalité, qui reste cependant élevée comparée au reste de la France. Entre la décennie 1863-1872 et la suivante, 1873-1882, le nombre de naissances a chuté de 492 à 387, soit un taux de natalité annuel qui est passé d'environ 36 pour mille à 31 pour mille. Parallèlement, la mortalité est restée élevée. On comptait 499 décès entre 1863 et 1872 soit un taux de mortalité de 36,6 pour mille. Les décès s'élèvent à 479 entre 1873 et 1882 mais, du fait de la baisse de la population, le taux de mortalité s'établit entre 37 et 39 pour mille, ce qui est particulièrement élevé. Concrètement, cela signifie que le solde naturel est négatif. Il l'était déjà dans la décennie 1863-1872, mais très faiblement puisqu'on comptait sept décès de plus que les naissances. Dans la décennie suivante, on dénombre 92 naissances de moins que de décès, ce qui veut dire que la croissance naturelle est négative, la population baissant en moyenne de 2 % par an. C'est l'une des conséquences de l'exode rural. Partent en effet les habitants jeunes, en âge de faire des enfants, tandis que restent sur place les plus âgés, qui sont aussi les plus proches de la mort.

Le village des Crottes, comme le département des Hautes-Alpes, est en effet ouvert vers l'extérieur. On a vu à travers l'exemple des membres de la famille de Joachim que la vallée de la Durance avait attiré des populations venues des départements voisins. Mais la commune des Crottes reçoit aussi des immigrants venus de l'étranger. En 1851, il y avait aux Crottes dix-sept étrangers, dont sept Suisses, et dix autres dont la nationalité n'était pas précisée, mais parmi lesquels se trouvaient surtout des Italiens. La famille Lozio, par exemple, dont le père et le fils sont tuiliers et qui se sont ensuite parfaitement enracinés par mariages avec des enfants du cru comme le montre leur caveau de famille au cimetière du village. Cette migration d'origine italienne s'est poursuivie. On aura l'occasion d'évoquer plus loin l'exemple de Chiafredo Priotti, employé au château de Picomtal. Elle est surtout le fait d'ouvriers du bois ou d'employés sur les chantiers de la région. Joachim aborde la question de l'immigration, sans préjugé apparent. Il manifeste même une certaine admiration, teintée d'envie, en évoquant la réussite de la famille Ferrary dont l'aïeul, Bartolomeo, est arrivé du Piémont au début du siècle. Il mesure aussi, au début des années 1880, l'apport des ouvriers piémontais à la transformation économique de la région, évoquant ces « 4 à 5 mille piémontais au chemin de fer sur le canton d'Embrun». Parmi eux figurent les 93 ouvriers étrangers portés sur le recensement de 1881.

Le cœur du village où vit Joachim Martin réunit, en 1881, 221 habitants autour de la mairie et de l'église, deux édifices qui s'élèvent alors des deux côtés de la route nationale qui traverse le village, à quelques mètres l'une de l'autre. Le chef-lieu regroupe une soixantaine de maisons qui forment un bloc compact. Il présente en effet une forme oblongue qui rappelle la présence de remparts détruits peu de temps auparavant et dont la trace est encore visible. Les pierres amassées pour la construction des murs servent encore alors pour édifier de nouveaux bâtiments. Le rempart a aussi servi de point d'appui pour l'édification de nouvelles maisons qui forment ainsi la limite du village. La plate-forme qui se trouvait en avant des remparts s'est même transformée en chemin circulaire permettant de contourner le village. C'est ce que l'on appelle le « barry », terme qu'utilise Joachim lorsqu'il explique que la sœur du curé s'y attarde volontiers avec ses prétendants. Quand il était ceint de remparts, le village s'ouvrait en direction de l'est, vers Embrun. Depuis leur destruction, il est devenu un point de passage sur la route de Gap à Embrun. À l'entrée du village, en provenance de Gap, existait un relais de poste, belle maison carrée transformée en maison d'habitation en 1877 par un médecin de Marseille, nommé Chevallier, chez lequel Joachim a l'occasion de travailler. En suivant la route principale qui coupe le village en deux, apparaît peu après l'église, datant du XIVe siècle, mais qui a été profondément transformée au XIXe siècle. En particulier, le porche qui précédait le portail et qu'on appelle dans la région un «réal» a été détruit pour faciliter le passage des voitures sur la route et la construction d'un aqueduc permettant l'évacuation des eaux. Le presbytère se trouve en face de l'église. Un peu plus loin, sur le même côté que le presbytère, donc à gauche de la route, on rencontre la mairie. La partie septentrionale du village, qui s'étend en direction de la Durance, est la moins densément peuplée. C'est au nord-est qu'a été installé à partir de 1838 le cimetière auparavant situé près de l'église. Le village a donc appliqué avec un certain retard la loi de 1806 obligeant les communes à placer leur cimetière à la périphérie des habitations, pour des raisons d'hygiène. De l'autre côté de la route principale, en direction de la montagne, d'étroites rues que l'on désigne sous le nom «d'andrones» sillonnent le village. Ces ruelles contribuent à donner au chef-lieu cette impression de confinement, qui favorise une promiscuité que Joachim évoque dans ses écrits. Sa propre maison se situe à l'est du village, dans ce qui est aujourd'hui «l'androne des estables», autrement dit des écuries. Face à sa maison, se trouve précisément une écurie dont il a gardé un souvenir saisissant pour avoir assisté à une scène tragique qui s'y est déroulée.

Dans ces ruelles resserrées, le soleil franchit difficile-ment le pas des maisons. L'hiver, le contraste est saisissant entre le noir des pierres avec lesquelles sont construites les maisons et la blancheur de la neige. Ces pierres sont en fait des galets de forme ronde ou ovale qui ont été extraits du torrent de Boscodon, véritable mine de pierres à ciel ouvert dont la commune finit par réserver l'usage aux seuls habitants du village, taxant les entrepreneurs venant s'y servir d'un franc par mètre cube[6]. Les toits sont en zinc ou en tuiles. Au cœur du bourg, les maisons ne disposent pas de jardin attenant, à la différence de celles qui ont été construites sur les anciens remparts. Mais la plupart des habitants possèdent au moins quelques terres en périphéries, soit sur le replat qui sépare le village de la Durance soit sur les premiers contreforts de la montagne où s'est notamment implantée la vigne. Joachim possède ainsi, à la fin de sa vie, douze parcelles disséminées sur le terroir de la commune.

La grande majorité des habitants se consacre à l'agriculture mais le lieu compte aussi quelques artisans, à l'image de Joachim lui-même. Parmi eux, figurent trois maréchaux-ferrants, trois cordonniers, deux boulangers dont François Pellat, 44 ans, père de deux jeunes enfants, considéré comme l'un des chefs du parti républicain des Crottes. Il y a aussi deux aubergistes, dont nous reparlerons car ils ont exercé des mandats politiques : Désiré Lagier, 42 ans, marié à Élisa Miollan, et Honoré-Auguste Philip, marié à Antoinette Philip, avec laquelle il a eu cinq enfants. Plusieurs habitants exercent des activités liées aux transports. Étienne Chevalier, marié à Annette Gentilini, est charretier. Eugène Queyras est voiturier. La présence de deux radeliers vient rappeler la proximité de la Durance par laquelle est expédié vers le sud le bois des forêts avoisinantes. Les radeliers construisent avec les troncs d'arbres des radeaux qui sont expédiés en aval en suivant le cours d'eau. On compte enfin quatre tailleuses, généralement des femmes célibataires ou séparées, à l'image de la sœur de Joachim. Deux potiers, Siro Louis Lozio, 63 ans, et son fils Paul, 33 ans, d'origine italienne. Ce sont eux qui ont repris la fabrique de tuiles fondée par le père de Joachim. Employé municipal, Florimond Collomb est cantonnier et vit au chef-lieu avec sa femme et ses trois filles. Le village abrite aussi deux instituteurs, Pierre Faure, qui vit avec sa femme Victoire et leurs trois filles et Antoine Collomb, 24 ans, célibataire, fils du maréchal-ferrant. Pierre Faure assure en même temps les fonctions de secrétaire de mairie et touche pour cela une indemnité de 200 francs par an. Marie-Louise, 22 ans, est institutrice. On compte enfin trois soldats, dont deux jeunes conscrits de 20 et 21 ans, le troisième étant âgé de 35 ans. Le seul notable est Joseph Roman, qualifié d'avocat, qui habite le château de Picomtal. Nous l'évoquerons plus loin de même que l'abbé Lagier, curé de la paroisse, qui vit au presbytère avec sa sœur.

Au cœur du pays d'Embrun

La proximité du village des Crottes avec la ville d'Embrun explique que leur histoire soit mêlée. Six kilomètres seulement séparent les deux cités, mais leurs territoires respectifs sont contigus et ont vécu un passé commun. Le nom même des Crottes apparaît au XIIe siècle ; il signifie «grottes», et renvoie à la présence de cavités dans la montagne dans lesquelles se sont abrités les premiers habitants. D'abord rattaché au comté de Provence, le village des Crottes comme l'Embrunais est annexé au XIIIe siècle au Dauphiné, lui-même réuni à la France en 1349. Joachim est sensible à l'histoire de son village. «Ne sois pas comme tes ancêtres qui pour un morceau de pain blanc ont vendu la commune. Hommes vils», écrit-il. Fait-il allusion à l'époque des guerres de Religion, quand le seigneur des Crottes, Antoine de Rame, embrassa le protestantisme et livra le village et le château de Picomtal au duc de Lesdiguières, chef des protestants du Dauphiné, qui les investit en 1580? Le village était alors entouré de remparts, mais ne put résister aux assauts des hommes de Lesdiguières qui pillèrent les Crottes avant d'abandonner le village au bout de quelques jours, la garnison d'Embrun reprenant rapidement le contrôle du village. Lesdiguières poursuivit ensuite le combat contre Antoine de Rame, revenu au catholicisme en 1585[7]. Ce dernier prit la tête de la défense d'Embrun, devenu le principal foyer de la Ligue dans la région, après la perte de Gap dont une partie de la population s'était réfugiée à Embrun[8]. À cette occasion, le village des Crottes fut à nouveau envahi en 1585 par les troupes protestantes qui incendièrent parallèlement l'abbaye de Boscodon, contraignant les moines à abandonner les lieux pour quinze ans. Mais Joachim fait peut-être davantage référence à la vente par le Dauphin de ses droits sur la seigneurie des Crottes en 1593 au profit du fils d'Antoine de Rame, Matthieu. Cette vente fut réitérée à plusieurs reprises, les habitants des Crottes ne parvenant pas à surenchérir pour racheter leurs droits[9].

À la fin du XVIIe siècle, le village fut confronté à la guerre que se livraient le roi de France Louis XIV et le duc de Savoie. Ce dernier, au cours du siège d'Embrun, fit incendier le village et le château en 1692, contraignant la plus grande partie des habitants à fuir vers la Provence. Réfugiés aux Mées, ils acceptèrent finalement de verser une rançon de 2 000 livres, ce qui évita la destruction du village et permit aux habitants d'y rentrer. En un peu plus d'un siècle, le village des Crottes a donc subi dans sa chair l'effet des troubles et des guerres, religieuses ou extérieures. Le souvenir ne peut qu'en être encore présent dans l'esprit des habitants.

La rivalité avec la ville voisine demeure. Embrun est la capitale de la petite patrie que forme l'Embrunais et a toujours tenté d'imposer sa suprématie à ses voisins. Les motifs de tension entre les Crottes et Embrun sont anciens. Ils se sont surtout focalisés sur la forêt de Montmirail qui fait partie du territoire des Crottes, mais appartient à Embrun, les habitants des Crottes ayant néanmoins obtenu un droit d'usage. Dans les années 1880, le conflit entre les deux communes naît de la création d'un champ de tir, sur la rive droite de la Durance, dans le prolongement de la citadelle. Embrun est en effet une place forte, entourée des remparts qu'évoque Joachim. Mais ce rôle de forteresse a perdu de son importance depuis 1860 et l'annexion de la Savoie à la France. La municipalité des Crottes s'oppose à cette décision, sans parvenir cependant à empêcher l'installation du champ de tir[10]. Le conflit s'envenime dans les années suivantes et occupe nombre des séances du conseil municipal, les Crottes souhaitant récupérer les terrains occupés par le champ de tir pour les mettre en culture.

Pour Joachim, la proximité d'Embrun se manifeste par la présence d'une prison qui pèse sur l'économie locale. Il se plaint du fait qu'en période de pénurie les prisonniers comme les employés du chemin de fer forment une concurrence pour les autres consommateurs. La prison est aussi un enjeu politique depuis sa création, en 1804. Celle-ci fut en quelque sorte un moyen de compenser la perte de l'archevêché. Ce sont du reste les bâtiments du collège et du séminaire qui ont servi à l'aménagement d'une prison prévue à l'origine pour accueillir près de 1 200 prisonniers. Parmi eux figurèrent notamment 142 Corses envoyés à Embrun en août 1808 et qui furent victimes de fièvres, une centaine d'entre eux décédant peu après. La prison a aussi accueilli en 1816 Joseph Fieschi, qui devait s'illustrer en 1835 en tentant d'assassiner Louis-Philippe Ier. Jugée insalubre en 1866, la prison est alors fermée. Elle pâtit aussi de l'absence du chemin de fer qui alourdit les coûts de transfert des prisonniers destinés à Embrun, par rapport aux centrales accessibles par la voie ferrée. Les besoins en places de prison liés à la répression de la Commune conduisent néanmoins les autorités à la rouvrir en 1872. Mais les conditions de vie y restent précaires, si bien que la question de sa fermeture se repose régulièrement dans les années 1880. En 1886, les détenus vont même jusqu'à se révolter pour protester contre leurs conditions de vie. La prison est finalement fermée en 1893, sous l'impulsion du député Flourens qui en avait fait un axe de sa campagne alors que son adversaire Ferrary défendait son maintien. Il est vrai que Ferrary, comme le rappelle Joachim, était l'entrepreneur de la prison : il fournissait l'approvisionnement des prisonniers, moyennant finances, et récupérait le produit de leur travail. Il avait donc tout intérêt à ce que la prison demeure.

Une agriculture vivrière

Les activités du village des Crottes sont essentiellement agricoles. Les trois quarts des chefs de ménage du bourg sont qualifiés de cultivateurs. Joseph Roman, auteur d'une monographie sur les Crottes, donne des chiffres très précis sur les surfaces exploitées. Le terroir de la commune couvre une superficie de 5 176 hectares et 60 ares, dont 2 078 hectares de propriétés communales et 578 hectares de terrains improductifs. Les propriétés communales sont composées de bois et de pâturages et jouent un rôle important dans une société en grande partie pastorale[11] – le cheptel s'élève à 3 000 ovins et 300 bovins et équidés. Le village reste encore marqué par l'épidémie d'épizootie charbonneuse qui a frappé le cheptel en 1853, affectant 160 bêtes dont la moitié a péri[12].

L'élevage est l'une des principales ressources de la commune qui dispose de très importants alpages dont profitent la plupart des habitants, selon un système bien rodé, exposé par Joseph Roman dans l'une de ses nombreuses publications[13]. Ces alpages représentent une surface de 1 328 ha, soit plus de la moitié de l'ensemble des biens communaux. Ce sont des terres excellentes où les moutons peuvent paître de juin à octobre. Les alpages se subdivisent en trois ensembles : le parc de Morgon qui peut accueillir 1 200 ovins, celui de la Grande-Cabane qui peut en recevoir 1 600, et celui du Clot-Besson dont la capacité d'accueil est de 1 200 moutons. Ces chiffres théoriques, qui forment un total de 4 000 ovins, ont pu être parfois dépassés, les pâturages recevant certaines années jusqu'à 5 550 bêtes. En tant que biens communaux, ces alpages sont gérés par la commune, qui rémunère des bergers et autorise la venue de troupeaux de moutons qui proviennent soit du village lui-même, soit de l'extérieur. Il en coûte 1,5 franc par tête de bétail, mais le gain est réel puisque la plus-value d'un passage par les alpages est estimée à 5 francs par mouton. Les propriétaires doivent en outre fournir le sel indispensable aux animaux. Quant à la commune qui rémunère ses bergers, elle tire un bénéfice de l'opération quand la montagne accueille 3 000 moutons. Les bergers ont pour mission de surveiller les troupeaux pendant la journée, mais aussi de les regrouper le soir, dans des parcs où ils passent la nuit, ce qui offre une autre source de revenus grâce à un fumier extrêmement riche que viennent ensuite prélever les habitants de la commune, moyennant le paiement d'une petite redevance. Le système des alpages est à plus d'un titre une aubaine pour les paysans aux revenus modestes des Crottes, la plupart n'ayant pas les moyens de posséder des ovins à l'année.

Les paysans qui ont suffisamment de terres en prairies peuvent seuls en effet élever des moutons à l'année. L'herbe, coupée au début de l'été et transformée en foin, permet de nourrir les bêtes à l'étable de la mi-novembre à la mi-mars. De la mi-octobre à la mi-novembre et de la mi-mars au mois de juin, les moutons sont envoyés sur les terres communales, assez pauvres, des bords de la Durance et reçoivent le cas échéant un complément d'alimentation en foin. Ils n'ont pas le droit de vaquer dans les bois de haute futaie où ne sont admis que les bovins et les équidés. Enfin, de juin à octobre, ils gravissent la montagne pour passer quatre mois dans les estives. Ils sont alors rejoints par d'autres moutons que les paysans les plus pauvres du village – soit le quart de la population agricole – ont acquis au printemps, souvent grâce à des emprunts, pour les envoyer s'engraisser en montagne. Au bout de quatre mois, ils peuvent espérer un bénéfice de 3,5 à 5 francs par tête, sans avoir d'effort à fournir. Redescendues au village, les bêtes engraissées peuvent alors être vendues, au cours des mois d'octobre et de novembre. Ce système communautaire est complété par le ramassage de la terre à fumier qui représente pour les quatre mois d'estivage un volume de 170 m^3, soit une valeur de 2040 francs. Là encore, la commune prélève une redevance, mais le gain est réel pour les habitants qui ont tous accès à cette manne d'autant plus précieuse que les terres cultivées dans la vallée sont généralement pauvres.

Pour le reste, les productions sont diverses, comme l'observait le baron Ladoucette : « La commune des Crottes, menacée par le torrent des Graves, autrefois entourée de remparts que Lesdiguières prit d'assaut, récolte du blé, du seigle, de l'orge, de l'avoine, des légumes, et un peu de vin ; ses vergers et ses prairies sont d'une grande beauté[14]. » En 1852, selon l'enquête alors diligentée, les céréales occupaient 108 hectares, le méteil 170 ha, le seigle 51 ha, l'orge 1 ha, l'avoine 71 ha, 30 ha étant dédiés à la pomme de terre, 3 au chanvre et 1 aux légumes secs. Les jardins couvrent 3 ha 65 ares, les vergers 5 ha 31 ares ; on y produit notamment de l'huile de noix. L'élevage sollicite 200 ha de prairies naturelles dont la moitié est irriguée, 96 hectares de prairies artificielles et 20 ha de pâturages. La vigne couvre alors 27 ha, pour une production de 216 hectolitres de vin rouge. Le prix moyen de l'hectolitre est de huit francs. L'étendue de la forêt est alors évaluée à 1 570 ha, dont 1 265 appartiennent à la commune, 300 à l'État et 20 à des particuliers. Cela représente un total de 471 000 arbres[15].

À la fin du XIXe siècle, le village se consacre toujours à une polyculture qui fait la part belle au froment, malgré la difficulté de le faire pousser. La principale différence par rapport au début du siècle vient de la quasi-disparition de la vigne, décimée par le phylloxera, qui fit des ravages en France à partir des années 1860 et toucha tous les vignobles, les moins rentables n'étant pas reconstitués. C'est le cas aux Crottes où la vigne n'est plus que résiduelle, ce qui ne contrarie pas Joseph Roman, qui note la piètre qualité du vin produit sur place. Les prairies naturelles de même que les landes permettent aux paysans d'avoir, comme on l'a vu, un important cheptel.

Les différentes cultures se répartissent de la façon suivante:

Labours: 338 ha 61 ares
Prairies: 216 ha 53 ares
Jardins: 3 ha 6 ares
Vignes: 37 ha 51 ares
Bois: 1 197 ha 44 ares
Pâtures: 597 ha 47 ares
Vergers: 5 ha 31 ares
Landes: 442 ha 71 ares

Les labours, jardins et prairies sont essentiellement concentrés en bordure de la Durance, dans la vaste plaine qui la jouxte. L'ensemble du village est parcouru par un réseau de canaux qui drainent l'eau de la montagne et qui permet donc d'irriguer une partie des cultures. Le village possède enfin trois moulins à blé, deux fours à chaux, un four à plâtre et une briqueterie déjà évoquée. Il n'y a pas d'autres activités industrielles, à la différence du village de Savines. L'économie du village est donc essentiellement rurale, les Crottes connaissant une pointe d'activité particulièrement intense au moment de la foire annuelle.

Elle avait lieu le 27 mars, mais est transférée au 25 septembre à compter de 1895[16].

La surveillance de ce vaste territoire communal est assurée jusqu'en 1880 par deux gardes champêtres, recrutés parmi d'anciens militaires, à l'image d'Antoine Alexandre Allard, âgé de 40 ans, nommé garde champêtre en juin 1880[17]. Il rejoint Casimir Gentiliny qui occupait déjà les mêmes fonctions. Quelques jours plus tard, la commune décide de désigner un troisième garde, pour tenir compte de la dispersion de la population en de nombreux hameaux. La place échoit à Florimond Mazet, 46 ans, domicilié au hameau de Villarobert[18]. C'est également un ancien militaire. Il est néanmoins remercié au bout d'un an, s'étant avéré peu efficace dans sa surveillance. Il a notamment autorisé deux conducteurs de troupeaux de Provence à faire paître leurs bêtes dans les communaux et chez des particuliers, ce qui conduisit le conseil à le renvoyer[19]. Alexandre Allard de son côté est révoqué par arrêté préfectoral en janvier 1882[20]. Ces gardes travaillent en principe en concertation avec la brigade de gendarmerie installée à Savines, que les sources ne permettent pas de véritablement voir en action[21].

L'ombre de la forêt

La forêt, avec près de 1 200 hectares, est omniprésente dans la partie montagnarde de la commune[22]. Les trois quarts de cette forêt appartiennent à la commune qui possède 992 hectares 72 ares de forêt, répartis en trois séries, et composés essentiellement de mélèzes, d'épicéas, de pins et de sapins[23]. La forêt pousse sur les flancs escarpés de la montagne, entre 1 200 et 2 000 mètres. Elle fait l'objet d'une surveillance particulière. Le village dispose ainsi d'une brigade de l'inspection des forêts, avec un brigadier qui, en 1880, s'appelle Gueydan, et est secondé par deux gardes forestiers[24]. Ils sont rémunérés par l'administration des forêts, mais Gueydan touche également une prime annuelle de 90 francs versée par la commune[25]. On compte aussi un garde pour le domaine de Boscodon. Cette forêt est exploitée, le bois étant vendu et exporté par voie d'eau, en direction du sud. En revanche, le village n'abrite pas de scierie qui permettrait de transformer directement le bois sur place. La plus proche est située à Savines. Joachim y fait une allusion en soulignant qu'elle est la propriété du maire.

La forêt fournit à la commune une partie substantielle de ses revenus. Des coupes régulières sont en effet organisées sous le contrôle de l'administration des forêts. Pour faire face à un surcroît de dépenses, occasionnées par exemple en 1856 par les inondations qui avaient endommagé la digue sur la Durance, le conseil municipal avait obtenu à plusieurs reprises de pouvoir effectuer des coupes exceptionnelles, s'engageant à ne plus pratiquer de coupes ordinaires pendant plusieurs années, si bien qu'en 1867, les coupes étaient obérées jusqu'en 1884. L'administration des forêts décide alors de réformer l'exploitation de la forêt, afin de permettre une exploitation régulière, permettant notamment d'extraire de la forêt les arbres viciés ou sur le retour, les coupes extra-ordinaires des années précédentes s'étant concentrées sur les arbres les plus sains donc les plus rentables. Il est décidé de reprendre les coupes ordinaires, dès 1867, à raison de 50 mètres cubes par an[26].

La forêt communale fait l'objet d'un nouveau réaménagement en 1872 dans le but de protéger les sols et d'éviter leur dénudation, ce qui suppose d'engager une politique de reboisement. Pour ce faire, trois séries sont créées : la première dite des Lauzerots, de 370 hectares, et la deuxième, dite de la Perouyère, de 216 hectares, seront exploitées en futaie pleine, la troisième dite des cimes, de 356 hectares, comprendra les parcelles sur lesquelles l'exploitation ne pourra se faire que de façon exceptionnelle[27]. La coupe annuelle prévue pour les Lauzerots s'élève à 210 mètres cubes ; elle est vendue au profit de la commune ; la coupe de la deuxième série, de 87 mètres cubes, est en revanche affectée au chauffage des habitants. Le conseil municipal des Crottes continue comme par le passé à lorgner sur cette manne que représentent les coupes de bois et se prononce à la fin de 1873 pour des coupes quinquennales, qui auraient l'avantage de dégager rapidement une importante somme d'argent tout en rationalisant l'abattage des arbres. Il faut en effet aménager des chemins pour descendre les grumes vers la Durance, aménagement d'autant plus rentable que le cubage retiré est important. Il s'agit en fait d'un retour aux coupes spéciales. En l'espèce, on envisage de prélever 1 000 mètres cubes de bois sur la forêt des Lauzerots, les coupes annuelles dans la forêt de la Perouyère étant maintenues. L'argument avancé par le conseil municipal est l'endettement de la commune qui doit encore 6 000 francs pour les travaux de la construction d'une digue sur la rive gauche de la Durance, et 2 000 francs liés notamment à des aménagements scolaires[28]. L'administration des forêts donne son accord en février 1875[29]. C'est cette coupe extraordinaire que dénonce Joachim Martin quand il accuse le maire Philip de s'être enrichi sur le dos de la commune : « Philip, homme brute et voleur des fonds de la commune. »

La forêt est aussi essentielle aux habitants qui y prélèvent chaque année le bois mort nécessaire au chauffage des maisons ainsi que les feuilles mortes utilisées comme engrais. Ils détiennent traditionnellement ce droit sur les forêts communales, mais aussi sur la forêt de Montmirail qui appartient à la ville d'Embrun tout en étant située sur le territoire des Crottes, et sur la forêt de Morgon qui est indivise avec le mandement de Savines. Chaque année cependant, à l'automne, le conseil municipal doit réitérer une demande pour que ce droit de ramassage soit garanti aux habitants[30]. De même, il doit obtenir l'autorisation de faire parcourir les moutons dans les forêts domaniales, sans quoi les troupeaux ne pourraient accéder aux alpages[31]. Ces problèmes d'indivision sont du reste un des motifs de tension récurrente entre communes. Avec Savines, le différend n'est éteint qu'en 1893, au terme d'une action en justice à laquelle Joseph Roman a pris une part active.

Une loi du 4 avril 1882 sur le reboisement modifie le rapport des habitants des Crottes à la forêt. Cette loi s'explique par la forte déforestation du massif alpin du fait de la pression démographique. Elle est justifiée par la volonté d'éviter les éboulements de terrain, mais elle menace de réduire de deux tiers les surfaces disponibles pour laisser paître les moutons, avec un manque à gagner notable pour les petits agriculteurs et, à terme, un encouragement à l'exode rural. Joseph Roman prend la plume en 1884 pour défendre le système existant, alors qu'il exerce la charge de maire. La loi est alors perçue comme une atteinte à la propriété et conduit à de nombreuses tensions entre les habitants et les représentants de l'administration des eaux et forêts. Elle est aussi au cœur des conflits qui agitent le conseil municipal dans les 1880, comme on le verra.

La forêt dissimule aussi l'abbaye de Boscodon, fondée au XIIe siècle par des moines de l'ordre de Chalais, devenue abbaye bénédictine au XVe siècle. Elle a longtemps dominé le village des Crottes. Elle possédait surtout de très nombreuses terres et des bois aux alentours, tandis que l'abbé avait le droit de nomination du curé et d'un vicaire, prélevant en retour une partie des revenus de la paroisse. Mais l'abbaye est touchée par la réforme engagée par Loménie de Brienne en 1768, visant à réduire le nombre de monastères, et est supprimée en octobre 1769 au profit de l'archevêché d'Embrun qui en récupère alors les biens. L'archevêque d'Embrun a beaucoup œuvré pour parvenir à ce résultat qui présente un risque pour les habitants des Crottes, car ceux-ci avaient obtenu un droit d'usage sur les bois de Boscodon qui est menacé par l'archevêque[32]. La Révolution dissipe ces inquiétudes. Déjà désaffectée à la Révolution, l'abbaye est vendue comme bien national[33]. C'est alors que la famille Berthe s'en porte acquéreur. Les bâtiments sont donc affectés pendant le XIXe siècle à l'activité agricole, même si l'église a continué ponctuellement à être utilisée comme lieu de culte, notamment pendant la Révolution. Le plus important pour le village des Crottes réside dans l'attribution à la commune des terres et forêts naguère possessions de l'abbaye, ce qui accroît considérablement les biens communaux des Crottes, sans toutefois éteindre les litiges existant entre les différentes communes du secteur, notamment Savines, avec lesquelles les procès se multiplient. Joseph Roman, avocat et féru d'histoire, va s'investir pleinement dans ces litiges jusqu'à obtenir gain de cause en 1893 dans le procès engagé contre Savines. Le fait que Joachim n'évoque jamais l'abbaye n'est donc pas surprenant. Elle est quasiment en ruines à l'époque où il écrit. Il faudra attendre 1972 pour que, sous l'impulsion des Dominicains, rejoints par d'autres congrégations, une restauration soit entreprise, avant que ne se forme une communauté religieuse, la communauté Saint-Dominique, reconnue par l'évêché. Cette communauté occupe aujourd'hui et administre l'abbaye, qui est redevenue un des hauts lieux touristiques de la région, tout en s'intégrant parfaitement à l'environnement villageois au point qu'un des membres de la communauté, le frère

Dominique Cerbelaud, a été élu conseiller municipal de Crots en 2014.

La forêt est aussi un lieu mystérieux propice à la dissimulation. Que sait Joachim des secrets enfouis dans ces centaines d'hectares de bois qui, à flanc de montagne, ont abrité maintes fois des réfugiés pourchassés par les autorités? Ce furent notamment, à l'époque de la Révolution française, des prêtres réfractaires. Ce furent ensuite, sous l'Empire, des jeunes gens insoumis, refusant de partir à l'armée, puis des prisonniers évadés de la prison d'Embrun. Plus récemment, la forêt fut le refuge des maquisards combattant l'Allemagne nazie. La forêt n'a ainsi jamais perdu son caractère mystérieux, voire subversif. Encore ces derniers mois, plusieurs disparitions ont ému la presse locale, comme celle de Monique Thibert, en juin 2015 – âgée de 65 ans, elle était conseillère municipale d'Hauteville dans l'Ain[34] – ou celle le 27 décembre 2016 de Marie-Christine Camus, une femme de 62 ans originaire des Alpes-de-Haute-Provence[35]. La presse parle alors du «mystère de la forêt de Boscodon», évoque une «forêt maudite». Ces disparitions font écho à un autre mystère, vieux de deux cents ans. Il est relatif à Jean Granger, natif de Meyderolles dans le Puy-de-Dôme, venu s'installer, au début de la Révolution, aux Terrassettes, hameau situé à proximité de l'abbaye de Boscodon, avec sa femme qu'il vient d'épouser dans l'église de l'abbaye[36]. Après avoir eu trois enfants entre 1791 et 1796, il disparaît sans laisser de trace, ses proches imaginant qu'il a peut-être été happé par la forêt. En fait, comme un généalogiste a pu l'établir il y a quelques années, il a bel et bien abandonné sa famille pour retourner dans son village natal où il meurt le 11 mars 1816.

CHAPITRE III

LE CHÂTEAU DE PICOMTAL

Le château de Picomtal, qui sert de décor à cette histoire, a été plusieurs fois remanié depuis le XIVe siècle. Il présente encore des tours majestueuses rappelant ses racines médiévales. Placé sur les hauteurs de Crots, il domine le village. De la terrasse, on aperçoit aussi parfaitement la ville d'Embrun.

Un château convoité

Sur un petit morceau de bois carré que Joachim a utilisé comme cale au moment de poser le plancher figurent plusieurs noms avec des dates ainsi présentés :

Mr Bontoux 1795
Mr Créchi 1810
Mr Ferrary 1820

Mr Berthe 1840 à 1870
Mr Ferrary fils 1870 à 1876
Mr Roman 1876 à 1881

Ces noms sont ceux des différents propriétaires du château depuis l'époque de la Révolution française. Mais Joachim s'est trompé dans l'ordre de succession des propriétaires, plaçant Bontoux avant Cressy, sans doute parce qu'il mêle, comme nous le verrons, événements politiques et histoire du château. De même, il place Ferrary après Berthe. Mais cette énumération démontre que Joachim est sensible à l'histoire du château et à celle des hommes qui l'ont possédé. Il ne remonte cependant pas au-delà de la Révolution.

Pourtant, les vicissitudes du domaine ont commencé au début du XVIIIe siècle, quand le seigneur du lieu le vend en 1724 à Lazare de Ravel, conseiller au parlement d'Aix. Puis en 1769, René Hyacinthe de Ravel, qui en avait hérité de son père sept ans plus tôt, le cède à un bourgeois d'Embrun nommé Joseph Cellon, qui à son tour le vend le 28 novembre 1792 à Jean-Louis François de Cressy. Le château de Picomtal est donc acquis par des membres de la bourgeoisie avant même la Révolution. Il reste dans la famille de Cressy jusqu'en 1826.

Acquéreur du château en 1792, Jean-Louis François de Cressy nous plonge dans l'Ancien Régime. Il était en effet vibailly et lieutenant général du bailliage de l'Embrunais depuis 1774 quand éclata la Révolution. Il s'implique alors dans l'administration locale, d'abord comme commissaire du roi pour la formation du département des Hautes-Alpes en mai 1790, puis comme membre de l'administration du département à partir du 8 juillet 1790. En octobre 1791, il devient commissaire des guerres et conserve cette fonction jusqu'en mai 1815, étant de ce fait peu présent au château de Picomtal qu'il achète alors[1]. Il a également été fait chevalier de la légion d'honneur au début de 1815[2]. S'il est peu à Picomtal, ses deux frères en revanche, Sixte de Cressy et Jacques de Cressy, dit Cressy-Bargheim, y habitent, de même que leur mère, Marie Victoire née Gauthier. Les frères de Jean-Louis François sont également impliqués dans la vie de la commune, puisque Sixte est maire des Crottes de 1805 à sa mort, en 1810. Son frère Cressy-Bargheim est également brièvement maire du village en 1813, puis reste conseiller municipal jusqu'en 1826. Mais le château a alors été transmis à l'une des deux filles de Jean-Louis François, Élisabeth Éléonore de Cressy, née le 28 octobre 1778 à Embrun. Elle avait épousé en juillet 1795 (9 thermidor an III) le général Achille Victor Fortuné Piscatory de Vaufreland que l'on retrouve sur les rôles d'imposition à la fin de l'Empire et au début de la Restauration comme le plus gros contribuable des Crottes. Il paie alors plus de cent francs de contributions dans le village[3]. Après avoir exercé plusieurs commandements, le général de Vaufreland avait été mis à la retraite par Napoléon en 1810. Il reprend néanmoins du service au début de la Restauration avant d'être définitivement placé en retraite en 1818. La famille ne vit que partiellement aux Crottes, passant l'hiver à Paris, où le général de Vaufreland meurt du choléra en 1832.

En 1826, la famille Cressy cède le château à Claude Bruno Benoît Bontoux, représentant d'une famille de grands notables de l'Embrunais, fils et petit-fils de députés des assemblées révolutionnaires. Son grand-père, Jean Bontoux, girondin, a en effet été député à la Convention. Son père, Paul Benoît François Bontoux a été élu en 1795 au Conseil des Cinq-Cents, avant de devenir président du tribunal civil de Gap. Claude Bruno Benoît suit comme son père une carrière de magistrat. Il est d'abord substitut du procureur du roi à Embrun, puis procureur en 1820 et enfin président du tribunal de la même ville. Il a eu au moins un fils, dont le nom a peut-être résonné aux oreilles de Joachim au début des années 1880. Ce fils, Paul Eugène Bontoux, né à Embrun le 20 décembre 1820, qui a fait fortune dans les chemins de fer autrichiens, est en effet connu comme le fondateur de l'Union générale, cette banque catholique dont le krach fit scandale en 1882[4]. Bontoux conserve le château quelques années puis le cède à l'entrepreneur Ferrary qui le vend à son tour à Louis Berthe, en 1846.

Joachim en a gardé un souvenir d'autant plus précis qu'il a commencé à travailler au château. Il a donc bien connu Louis Berthe. Né le 30 novembre 1797, ce dernier appartient à une famille des Crottes qui incarne un bel exemple d'ascension sociale puisque ses parents, Hugues Berthe et Madeleine Roux, qualifiés de cultivateurs au moment de sa naissance, ont pu acquérir l'abbaye de

Boscodon quand elle est vendue comme bien national à l'époque de la Révolution. Hugues Berthe paie près de 60 francs de contribution en 1809, ce qui en fait l'un des plus gros contribuables du village[5]. Louis quitte les Crottes et fait fortune comme négociant à Marseille, avant de revenir au village. Il achète le château de Picomtal en 1846 et vit désormais de ses rentes. Marié à Thérèse André, il a eu trois enfants : Joseph Louis, Étienne et Ferdinand. Il est également décrit par Joachim Martin comme entretenant une maîtresse, à laquelle il a légué une maison à l'entrée du village, du côté d'Embrun. Or cette concubine n'est autre que la sœur d'Honoré-Auguste Philip, qui sera maire un peu plus tard. Elle s'appelle Marie Marguerite Philip. Elle est née le 4 mai 1831 et a donc sept ans de plus que son frère. Sur le recensement de 1866, Marie Marguerite Philip apparaît comme domestique, mais en première position sur la liste des serviteurs du château, ce qui laisse supposer qu'elle a le statut de gouvernante et confirme une place privilégiée au sein de la domesticité. Les autres domestiques sont alors Étienne Roux, 47 ans, Catherine Lagier, 54 ans, déjà présente en 1851, les enfants Roux, Rosalie, 13 ans et Étienne, 10 ans, François Miollans, 21 ans, François Tron, 40 ans, Émile Chabrand, 18 ans, Antoine Gilly, 30 ans et Étienne Chauvet, 28 ans. Après la mort de Berthe, Marie Marguerite Philip vit au chef-lieu du village, dans la maison qu'il lui a donnée – il lui a laissé au total 6000 francs – et demeure célibataire[6]. Elle meurt le 28 avril 1889 aux Crottes, à son domicile, à l'âge de 58 ans. Elle est alors qualifiée de ménagère.

La famille Roman

Mais revenons au propriétaire que Joachim Martin met en scène. Encore célibataire lorsqu'il acquiert le château en 1876, Joseph Roman est venu s'y installer avec sa mère et son plus jeune frère. Ils sont membres d'une famille de notables des Hautes-Alpes. Le nouveau propriétaire est en effet le petit-fils de Joseph Roman, qui fut chef de bureau au ministère des Finances, puis receveur à Aix-en-Provence et le fils de Jacques-Hippolyte Roman, né à Paris le 25 mars 1813, licencié en droit de la faculté d'Aix, qui était à la naissance de Joseph substitut du procureur du roi à Sisteron. Par son père, Joseph appartient donc à une famille de magistrats. Joachim y fait du reste allusion dans ses écrits, en confondant les fonctions, Jacques-Hippolyte Roman n'ayant pas exercé à Aix, mais à Sisteron : « Mr Roman père était président de la célèbre cour d'Aix Marseille. » Le père de Joseph Roman s'est trouvé aux premières loges au moment de l'insurrection républicaine qui a suivi le coup d'État du 2 décembre, l'arrondissement de Sisteron étant un de ceux où la résistance a été la plus forte[7]. Il meurt à Sisteron le 16 octobre 1852, à 39 ans, laissant une veuve et deux jeunes garçons.

Il avait en effet épousé le 20 novembre 1839 Lydie Amat, née à Gap le 11 avril 1820[8]. La mère de Joseph Roman appartenait à une vieille famille de la noblesse provençale maintenue par arrêt du parlement de Provence de 1382, mais qui s'est décomposée depuis en de nombreux rameaux[9]. La branche dont est issu Joseph avait perdu son appartenance à la noblesse. Son arrière-grand-père, Claude-Simon Amat, né en 1762, qualifié de marchand au moment de la naissance de son fils en 1779[10], puis notaire à Ribiers, fut membre du directoire du département des Hautes-Alpes au début de la Révolution, puis député de ce département à la Législative en 1791[11]. Son grand-père, Jean-Joseph Amat, avoué à Gap, fut également député des Hautes-Alpes de 1827 à 1831[12]. La grand-mère maternelle de Joseph, Lydie Jacquemet, était la fille de Clément Jacquemet, juge de paix à Tallard, et d'Henriette Nas de Romane. La future mère de Joseph Roman a eu un frère, Clément d'Amat, avocat, et deux sœurs, Émilie morte à 24 ans en 1854 et Eudoxie, née en 1827, restée célibataire, qui joue un grand rôle auprès de Joseph Roman, puis auprès de ses enfants. Elle a également été très active à Tallard où elle résidait, s'impliquant particulièrement dans la vie de la paroisse dont elle fut une bienfaitrice[13].

Né à Gap le 13 novembre 1840[14], Joseph Roman a commencé ses études au collège de Mongré, que les jésuites venaient d'ouvrir à Villefranche-sur-Saône, puis les a poursuivies au collège tenu par les Chartreux à Lyon, avant de gagner Paris où, baccalauréat en poche, il s'inscrit à la faculté de droit comme beaucoup de fils de notables de ce temps; il en sort licencié et devient avocat. Parallèlement, il a suivi en auditeur libre les cours de l'École des Chartes[15], ce qui est plus original. L'École des Chartes fondée en 1821 formait aux métiers d'archivistes et de bibliothécaires. Il aurait été contrarié dans sa vocation de chartiste par sa mère qui l'aurait contraint à faire du droit, mais cette formation de juriste ne l'empêche pas de s'occuper dès lors de numismatique. Il fonde même en 1865 avec Édouard de Laplane et Ernest Lecomte la Société de numismatique[16]. Au moment de la guerre de 1870, il s'engage dans le bataillon des mobiles des Hautes-Alpes, avec le grade de lieutenant de la cinquième compagnie. Il est envoyé en Franche-Comté où le bataillon est plusieurs fois engagé avant de passer en Suisse au début du mois de février 1871. Il a relaté cette expérience dans *Le bataillon des mobiles des Hautes-Alpes, 20 août 1870-26 mars 1871*[17]. Joseph Roman publie ensuite en 1873 la *Sigillographie d'Embrun*, et se consacre à l'édition de la correspondance du connétable François de Bonne de Lesdiguières[18].

À Paris, au moment de ses études, Joseph vit avec sa mère, veuve depuis 1852, qui y tient un salon littéraire, et avec son frère Jean-Marie Hippolyte, né à Gap le 17 août 1848[19]. La rumeur, suffisamment forte pour être parvenue aux oreilles de Joachim, prête à leur mère des aventures que notre menuisier s'empresse de rapporter, lui aussi sensible à son charme, puisqu'il la rajeunit d'une dizaine d'années dans le portrait qu'il trace d'elle : « Mme Roman a 50 ans environ, mignonette et petite, caractère doux. Mme a été jolie et joyau des salons de Paris, a eu une fille à l'inconnu ce qui fait dire souvent à son fils "Va-t'en à Paris faire boucher ton trou." Chose regrettable pour une mère. Ils ne sont pas d'accord. » On entre avec Joachim, qui transcrit les choses sans détour, au cœur de querelles de famille difficiles à démêler. Lorsque Joseph Roman se marie, sa mère et son frère quittent le château pour se retirer à Sisteron, dans la maison héritée de son père. « Mme Roman et son cadet habitent Sisteron, ils ont 8 fermes à soigner », souligne Joachim qui précise ailleurs que le cadet a été renvoyé chez sa mère après avoir étranglé le chien de son frère. Lydie Amat meurt à Sisteron le 20 janvier 1890.

En 1880, quand Joachim Martin entreprend la réfection du plancher, Joseph Roman est encore, à quarante ans, célibataire. Aux yeux du menuisier, il apparaît alors comme peu préoccupé de trouver une femme, tout adonné à ses travaux d'érudition et à sa passion pour le dessin. Il précise au passage le rôle joué par sa tante Eudoxie Amat dans son éducation :

> Mr Roman vient de me montrer les croquis qu'il vient de prendre à Largentière de Briançon. Les 7 péchés capitaux, très beau à voir. Mr n'est pas méchant mais il a tant soit peu conservé une forte dose de verve féminine car élevé par sa tante Mme Amat rentière de 20 mille de Gap elle l'a gâté, raclé, arrangé de manière qu'il lui vient toujours quelque mauvaise manière féminine. Gentil garçon aimant les jolies femmes et ne les touchant pas, se mêlant un peu de tous les procès. Donnant des bons conseils à qui veut bien l'écouter. Il aurait une majorité de voix pour maire mais ce [n'est] pas sa vocation.

Joachim voit ainsi son employeur comme un homme efféminé, impuissant, ou du moins incapable d'aborder une femme.

Pourtant, Joseph Roman finit par se marier. Le 1er septembre 1881, il épouse à Aspres-les-Corps (Hautes-Alpes), Isabelle Reynaud. Cette dernière est née le 26 mai 1853 et a grandi dans ce château d'Aspres qui appartient à ses parents, Élisée Reynaud, mort en 1865, et Marie Rosalie Aimée Miard. C'est en fait son grand-père, Vincent Reynaud, propriétaire d'une teinturerie de soie noire à Lyon, qui avait acheté le château au début des années 1830 au moment même où les ouvriers lyonnais de la soie, les fameux canuts, se révoltaient contre les tarifs pratiqués par les fabricants. En 1848, Vincent Reynaud fut aussi maire d'Aspres. C'est donc dans ce château qu'Isabelle a grandi, entourée de son frère Alfred et de ses quatre sœurs, Élise, Marguerite, Marie et Élie, du moins l'été, car l'hiver se passe dans la résidence grenobloise. En 1866, Isabelle rejoint sa sœur aînée, Élise, au couvent des Oiseaux à Voiron, tenu par les sœurs de Notre-Dame-des-Victoires. Elle reçoit ainsi une éducation chrétienne classique, telle qu'on la concevait pour les jeunes filles dans les milieux de la grande bourgeoisie française. Il est vrai que les mentalités sont alors en train de changer, puisque l'année suivante, en 1867, Victor Duruy lance son projet de cours secondaires pour jeunes filles, les ancêtres des lycées féminins, qui rencontrèrent une forte résistance, venue notamment des évêques français[20]. Signe d'une émancipation relative, Isabelle se rend à Lyon à la sortie du couvent pour y suivre les cours de dessin de Joseph Benoît Guichard, un élève d'Ingres. Sa vocation se précise. Elle sera peintre, même si à son mariage, elle est décrite comme sans profession. En fait, elle a déjà peint plusieurs toiles et connu quelques succès, sanctionnés par deux médailles d'argent de la ville de Lyon en 1875, époque où elle a dévoilé au public un *Portrait d'un vieil homme*, se spécialisant dans la peinture de portrait et la peinture religieuse, signe qu'elle n'a pas rompu avec sa formation. En 1880-1881, elle a ainsi peint un triptyque pour l'église d'Aspres et également travaillé dans l'église de L'Argentière-la-Bessée. Joseph Roman a visité cette église en août 1880, comme le raconte Joachim : « 16 août 1880. Mr va arriver de la Bessée. » Sans doute est-ce dans cette église qu'il a rencontré Isabelle. Il travaille alors particulièrement sur cette commune à laquelle il consacre peu après une monographie[21]. Le célibataire endurci est séduit par cette artiste de 27 ans et la demande en mariage. Il est d'autant mieux conquis que lui-même se pique de dessiner et s'est fait une spécialité de croquer les tableaux d'église. Joachim ne manque pas de souligner cette passion, lorsqu'il évoque le moment où il lui montre les croquis des 7 péchés capitaux tirés de sa visite à l'église Saint-Appollinaire de L'Argentière-la-Bessée, près de Briançon, qui abrite des fresques de peintres italiens du début du XVIe siècle. La noce est célébrée dans l'église d'Aspres un an plus tard, le 1er septembre 1881. Joachim ne l'a pas oublié puisque deux jours après le mariage, il envoie en quelque sorte un faire-part à son lecteur outre-tombe : « Mr Roman est en Suisse avec sa nouvelle épouse, marié du 1er sept 1881. » Le voyage de noces est l'un des nombreux périples qu'effectuera le couple, dans un péri-mètre qui restera toutefois très européen, avec une prédilection pour l'Espagne, la Suisse et l'Italie.

Ce mariage oblige Joseph Roman à changer quelque peu ses habitudes. Isabelle s'installe dans la « chambre bleue », récemment refaite. « Mme dessine » note sobre-ment Joachim. En fait, elle s'implique dans l'aménagement du château et contribue à la décoration de plusieurs pièces, tout en développant une œuvre propre. On lui doit notamment le fronton de l'église des Crottes et de nombreux portraits. Elle s'investit particu-lièrement dans le décor de la chapelle du château dont la réfection est entreprise en 1889 avec le concours de Joachim qui refait la menuiserie. Isabelle effectue pour sa part les peintures murales, en un triptyque consacré à la vie de saint Louis. Sur l'une des fresques, elle a mis en scène sa propre famille. Le couple a en effet eu cinq enfants au cours des onze années suivantes. Bernard Hippolyte naît le 29 août 1882, Lydie Isabelle Marie, le 11 août 1884, Jacques Joseph, le 1er juillet 1886, Jean-Charles, le 12 mai 1887 et Marie Adeline Isabelle, dite Élisabeth, le 18 mai 1893. Jacques Joseph est le seul à ne pas être né au château de Picomtal, comme ses frères et sœurs, mais à Gap, où la famille passe une partie de l'année.

Grâce aux souvenirs laissés par Jean-Charles sur ses premières années au château, on peut se faire une idée de l'ambiance qui y régnait quelques années à peine après le passage de Joachim :

Je suis né dans le grand château de Pycomtal qui ne baisse pavillon que devant celui de Tallard qui est adossé au massif du Pouzin qui culmine à 3 000 m, qui regarde les rudes contre-forts des monts Saint-Guillaume, à peine inférieur en altitude, qui domine la large plaine des Crottes où la Durance roulait jadis ses flots redoutables dans un immense lit de graviers. Tout est grand à Pycomtal, son parallélogramme de maçon-nerie et ses quatre grosses tours ; on logerait de nos jours deux familles dans la chambre bleue où je suis venu au monde. Son long vestibule, son escalier monumental, qui semblent ne pas devoir prendre fin, sont hantés par des fantômes redoutables. Les Embrun, qui dominèrent l'archevêché avant le XIe siècle, les Rame, les La Vilette, y reviennent sans doute la nuit, tenir leurs conciliabules. Tout est grand à Pycomtal, la maison, les paysages, les traditions. La vue et le souvenir portent loin. Les spectacles de la nature comme les édifices forment les âmes et déterminent les caractères. Que je le veuille ou non, je demeure l'homme de ce Pycomtal où j'ai passé ma jeunesse, où je suis toujours revenu et où j'espère mourir[22].

En écrivant ses souvenirs, Jean-Charles, qui a hérité du château, ne manque pas d'évoquer sa peur des fantômes, la légende voulant que devenu propriétaire des lieux, il en faisait le tour, le soir, un fusil à la main, pour en chasser les esprits[23]. Jean-Charles Roman, enfant, suit les pérégrinations de sa famille d'un château l'autre. Picomtal n'est en effet que l'un des lieux de résidence de la famille qui vit l'hiver à Gap et se rend aussi à Tallard, où vit Eudoxie Amat :

Nous passions l'été à Pycomtal mais, dès le début de l'au-tomne, une voiture à deux chevaux venait nous chercher et nous amenait vers des pays plus tempérés, vers Tallard, où habitait ma grand-tante, vers Ventavon, Ribiers, Lazer, lieux où ma famille avait longtemps résidé et où nous possédions encore des maisons, des fermes, des métairies. On relevait les fermages, les redevances, on consommait sur place les denrées périssables, on reprenait contact avec des gens qui nous avaient toujours connus, avec des maisons qui conservaient notre souvenir. La mauvaise saison venue, on prenait ses quartiers d'hiver à Gap, dans le grand hôtel des Amat qui n'est plus qu'un souvenir.

Vers la même époque, Joseph Roman, conscient de s'être marié tardivement et inquiet de mourir avant que ses enfants ne soient arrivés à l'âge adulte, leur adresse quelques conseils dans un texte qui permet aussi de sonder ses idées politiques et religieuses[24]. Il les exhorte à rester unis et solidaires, arguant des évolutions qu'a connues le pays depuis l'installation de la République. «Cela est d'autant plus vrai maintenant que l'individu est pour ainsi dire désarmé en face de l'État et de la société», écrit-il. Il invite également ses enfants à ne pas étaler sur la place publique leurs éventuels conflits d'intérêts et à garder le secret sur leurs affaires. Dans le domaine politique, le message est on ne peut plus clair: «Ayez toujours de bons principes, soyez des hommes religieux et en politique restez toujours attachés à la saine doctrine de la royauté légitime. Que votre mot d'ordre soit: "Vive le Roi et *Credo in Deum*".» Ces propos sont rédigés alors que les royalistes français espèrent encore une restauration de la monarchie. En cette année 1890, la plupart d'entre eux ont désapprouvé le toast du cardinal Lavigerie, archevêque d'Alger qui, recevant l'escadre de Méditerranée, avait invité les catholiques français à accepter les institutions que le pays s'était données. Agissant au nom du pape, Lavigerie avait soulevé de fortes résistances au sein des monarchistes, poussant le pape Léon XIII à intervenir personnellement en invitant les catholiques français au ralliement à la République en février 1892 par l'encyclique *Au milieu des sollicitudes*. Joseph Roman fait partie des catholiques qui refusent ce ralliement, comme en atteste par la suite sa proximité avec l'Action française, mouvement animé par Charles Maurras et visant au rétablissement de la monarchie en France. Pour l'heure, il conseille aussi à ses fils de choisir une carrière dans l'armée, le clergé ou l'administration, les décourageant de s'orienter vers les métiers d'argent et ayant ce mot que l'un de ses fils, Jean-Charles, n'oubliera pas : « La position de bibliothécaire à Paris est modeste mais sûre, et on y a l'avantage inappréciable d'être en rapport avec des personnes généralement instruites et intelligentes. Il serait bon que l'un de vous entrât dans cette carrière et se servît des connaissances que j'y ai faites pour s'y pousser. » Il recommande également à ses enfants de se marier dans un milieu comparable sur le plan de la fortune et termine son propos par cette projection dans l'avenir qui a dû marquer ses enfants au point qu'ils ont presque complètement rempli ses espérances :

> Voilà comment à votre place je voudrais arranger ma vie. Vous êtes quatre, trois garçons et une fille. L'un de vous serait militaire, un second prêtre, un troisième élève de l'École des chartes et bibliothécaire à Paris. La bonne petite Lydie resterait avec sa mère tant qu'elle vivrait pour la soigner et la

consoler quand je ne serai plus là, puis si sa mère venait à lui manquer, elle irait habiter avec son frère l'abbé qui peut-être, qui sait ? serait alors évêque.

La place accordée à l'armée et à l'Église par Joseph Roman ne saurait surprendre ; ce sont deux des débouchés classiques pour les familles de grands notables. Plus étonnant apparaît l'intérêt porté à l'École des chartes. Passionné par la recherche archivistique, Joseph Roman ne peut oublier qu'il n'a pas réussi à intégrer cette école et n'en a suivi les cours que comme auditeur libre. Le rôle dévolu à la fille de la famille sera finalement rempli par la dernière-née, Élisabeth, qui vient au monde trois ans plus tard, tandis que Lydie se marie avec un notaire de Grenoble. Joseph Roman n'omet pas le château familial qui lui tient à cœur : « Gardez ce château, je l'ai acheté et embelli pour vous. J'ai cherché, autant que ma fortune me l'a permis, à le rendre vaste, commode, agréable ; que ce soit un centre autour duquel la famille tout entière se rassemble chaque année autant que possible pour se retremper dans les vieux souvenirs et l'amour mutuel. » Joachim Martin, qui continue à travailler au château, a ainsi nécessairement connu les enfants de la famille Roman.

La famille est naturellement entourée de domestiques. Trois sont répertoriés lors du recensement de 1886 : Victor Roubaud, 26 ans, est le jardinier du château. Né à La Roche, près de Gap, dans une famille de cultivateurs, il vient d'achever deux ans plus tôt son service militaire, qu'il a effectué essentiellement au sein de l'armée d'occupation de la Tunisie, devenue protectorat français en 1881. Il reste au service de la famille Roman jusqu'en 1890, d'abord au château de Picomtal, puis dans une autre maison que possède Joseph Roman à Sisteron et où vit sa mère. En 1890, il se rend en Algérie, où il est employé dans la Compagnie de chemin de fer de Bône-Guenha[25]. Sa femme, Victorine, âgée de 20 ans, est cuisinière au château, tandis que Sophie Joubert, 26 ans, s'occupe de l'entretien courant. Joachim les a nécessairement croisés et a probablement discuté avec eux, mais il n'y fait aucune allusion, préférant évoquer ses conversations avec le châtelain. Pourtant, au-delà des discussions franches qu'entretiennent Joachim Martin et Joseph Roman, les rapports de classes sont évidents.

Le châtelain et le menuisier

Joachim paraît bien s'entendre avec le propriétaire du château, avec lequel il discute de sujets divers. « Mr Roman vient d'arriver très satisfait de son voyage et de son travail et me dira de quelques nouveaux sur ses trouvailles d'archive comme archiviste célèbre par les écrits qu'il fait relier à Grenoble et a dans sa bibliothèque. » Cette pièce fascine Joachim qui manifeste en la circonstance une vénération pour les livres dont on peut imaginer qu'il n'en possède guère. Joseph Roman s'est en effet réservé une pièce où il travaille, entouré de ses livres. C'est aujourd'hui la chambre dite « à l'inconnue », en raison d'un portrait qui y figure et dont l'identification n'a pu être établie.

Ces échanges n'empêchent pas le maintien de relations de patron à ouvrier. «Ô toi seigneur qui habite le château ne méprise pas l'ouvrier», s'exclame ainsi Joachim. Le retour du propriétaire interrompt les rêveries du menuisier qui doit se remettre au travail et sans doute espacer ses écrits. «Mr Roman va arriver de Briançon et me grondera de voir que je n'ai pas fini le plancher»; «Aujourd'hui 16 août 1880 je continue le plancher. Mr va arriver de la Bessée.» Et le lendemain: «Bonjour 17 août Monsieur arrive.» Ces informations supposent que Joachim est tenu régulièrement informé des allées et venues de Joseph Roman, sans doute par le personnel du château, prévenu d'avoir à se préparer à son retour.

Joachim ne peut masquer l'admiration que lui procurent les travaux d'érudition de Joseph Roman. En 1880, ce dernier a été nommé correspondant du ministère de l'Instruction publique, titre qu'il arbore alors fièrement, l'indiquant dans toutes ses publications[26]. Joseph Roman est en effet un auteur prolixe, dont la bibliographie finale dépasse les 400 titres, essentiellement consacrés à la sigillographie, à l'édition de chartes et à l'histoire des Hautes-Alpes. Dans cette volonté d'être l'historien de son département natal, et plus particulièrement de l'Embrunais, il s'est heurté à l'abbé Paul Guillaume, autre grande figure de l'histoire locale en cette fin du XIXᵉ siècle. Le combat est homérique entre les deux hommes et conduit même à un procès. Sans entrer dans le détail d'une affaire à rebondissements, on peut en rappeler les grands traits, car elle montre aussi le caractère cassant du personnage et son esprit procédurier qu'avait bien relevé Joachim dès cette époque quand il le décrivait « se mêlant un peu de tous les procès ». La rivalité entre les deux hommes tient à la concurrence qu'ils se font sur le terrain de l'histoire des Hautes-Alpes. Pourtant leurs premiers échanges avaient été cordiaux, Joseph Roman conseillant même à l'abbé Guillaume d'être candidat à la succession de Robert Long à la direction des archives départementales en mars 1879[27], Paul Guillaume occupant effectivement ce poste à partir de 1880 et pour de très longues années. L'allusion que fait Joachim à la nomination de Joseph Roman lui-même à la tête des archives est donc erronée: « Mr Roman est passé l'archiviste du département il y a un mois. » Il a sans doute confondu avec sa nomination comme correspondant du ministère de l'Instruction publique en 1880, au titre duquel il peut mener des missions d'enquête dans le département, tant dans les archives que les monuments. Mais Joseph Roman s'est ensuite montré sceptique face au projet de l'abbé Guillaume de créer une Société d'études des Hautes-Alpes, avant d'accepter d'y participer, usant abondamment du bulletin pour publier ses travaux[28]. La querelle s'est concentrée sur la publication par l'abbé Guillaume du cartulaire de Durbon dans lequel il a inclus une copie d'une charte en possession de l'oncle de Joseph Roman, Clément Amat, qui lui promet alors de lui communiquer l'original, avant de se rétracter, sous la pression de son neveu, interdisant désormais à l'abbé Guillaume de faire usage de cette copie. L'abbé passe outre et publie son cartulaire, ou recueil de chartes, en 1893. Joseph Roman et Clément Amat poursuivent leur action en justice, mais sont déboutés en mars 1895. L'issue du procès n'éteint pas une querelle qui reste l'un des hauts faits de l'histoire intellectuelle des Hautes-Alpes.

À partir de son mariage, Joseph Roman prend une place de plus en plus grande dans la société villageoise. Il se fait élire conseiller municipal en janvier 1881 et est même pressenti pour la mairie, ce que ne manque pas de relever Joachim qui regrette son refus : « Mr Roman a eu 140 voix aux élections et a refusé d'être maire. » Il le devient finalement en septembre 1883, à la suite du décès de Désiré Lagier. Sa présence à la tête de la mairie est de courte durée. Il est vrai qu'il est souvent absent. Il n'en continue pas moins à jouer un rôle notable dans le village, en s'affichant comme un défenseur des intérêts religieux, mais aussi de la monarchie. Il adhère ainsi au comité de la Ligue catholique et sociale, fondée par Albert de Mun en 1892 dans le prolongement de l'Action catholique de la jeunesse française, avec pour ambition de promouvoir le message social de l'Église exprimé par le pape Léon XIII dans l'encyclique *Rerum Novarum* du 15 mai 1891, signe que Joseph Roman est attentif à la question sociale[29]. Albert de Mun, député du Morbihan, est alors l'une des principales figures du catholicisme français. Il avait même envisagé en 1885 de fonder un « Parti catholique », avant d'en être dissuadé par le pape. Il est aussi l'un des premiers à accepter le ralliement à la République prôné par le pape Léon XIII en 1892. Joseph Roman ne le suit pas dans cette voie et demeure attaché aux idées monarchistes, ce qui le place dans une situation inconfortable lorsque s'exacerbent les tensions politiques au moment de l'affaire Dreyfus. En mai 1899, le préfet des Hautes-Alpes donne un avis négatif face à la demande de Joseph Roman de voir prolonger son statut de correspondant du ministère de l'Instruction publique. Les arguments avancés sont d'ordre politique : « En effet, ce dernier m'est représenté comme un adversaire militant du gouvernement de la République et dans ces conditions, j'estime qu'il n'y a pas lieu de l'agréer comme correspondant du ministère de l'Instruction publique pour le département des Hautes-Alpes[30]. » En pleine affaire Dreyfus, l'engagement monarchiste de Joseph Roman agace le pouvoir. Le châtelain de Picomtal poursuit néanmoins ses engagements, s'abonnant à l'*Action française*, dont il est un lecteur assidu jusqu'à la fin de sa vie. Mais comme il meurt en 1924, il n'est pas confronté à la condamnation par Rome du journal de Maurras qui intervient deux ans plus tard, déchirant le monde catholique français. Catholique pratiquant, il a aussi présidé la confrérie des pénitents noirs, toujours active dans le village au début du XXe siècle.

CHAPITRE IV

LA VIE QUOTIDIENNE D'UN MENUISIER

Joachim est peu disert sur son travail. Il explique qu'il a commencé le métier de menuisier vers l'âge de quinze ans : «J'ai commencé en 1858 âgé de 15 ans à travailler pour Mr Berthe père qui m'a fait faire que quelques meubles et palissades.» Auparavant, Joachim avait aidé son père qui travaillait alors dans une briqueterie, mais le formait parallèlement à la menuiserie. Il débute par des tâches modestes, puis parfait son art. Au début des années 1880, il a plus de vingt ans d'expérience et en fait état. «22 ans de travail et pas un sou à la poche», note-t-il le 23 septembre 1881, soulignant qu'il n'est pas parvenu à épargner au cours de ces années. Mais il avoue aussi ailleurs avoir beaucoup dépensé dans sa jeunesse, l'entrée en ménage et la naissance des enfants ne lui ayant probablement pas permis ensuite de faire des économies. Il a bien hérité de son père, mais essentiellement d'une maison et de terres, pas d'argent liquide, d'où une certaine déconvenue, exprimée par la formule : « Est mort minable et insolvable. »

Joachim menuisier

Joachim est son propre patron. Il est en effet à son compte puisqu'il paie une patente. Il insiste surtout sur la dureté de son travail et sur le fait qu'il n'est pas assez payé : « Dans le pays tout est cher et le travail pas payé. » À plusieurs endroits, il revient sur le prix de la façon au mètre carré, lequel oscille entre 60 et 70 centimes, ce qui est conforme aux tarifs généralement en vigueur. Martin regrette néanmoins de ne pas toucher 1 franc par mètre carré posé. Et il lance cette réclamation : « Ami ne travaille pas tant, fais-toi payer selon ton savoir. » Ou encore : « Ami si tu veux bien faire le travail fais-toi bien payer. Ne fais pas comme moi à 0,60 franc le mètre de façon [mètre carré]. Aussi bien je ne fais rien de bon. Il faut 1 franc la pose. » Comme il annonce ailleurs qu'il touche 4 francs par jour, on peut en déduire qu'en une journée de treize heures, il pose environ 8 mètres carrés de parquet. La journée de travail commence en effet à 6 heures le matin pour s'achever à 19 heures le soir en été, soit treize heures de travail quotidien : « Je te quitte ce jour 3 sept 1881 et te souhaite de gagner plus que moi à ce château. 22 ans de travail et pas un sou à la poche, travail à 4 francs/jour et en dépenser 3/jour pour vivre. »

Il faut ajouter à la façon le prix du bois, qui revient, d'après lui, entre 2,50 francs et 4,50 francs selon les espèces. Plus loin, Joachim livre le chiffre total de ce qu'il a touché au château de Picomtal pour refaire les planchers, mais aussi les portes et les fenêtres : « Tu trouveras pour 4 mille francs de travail que j'ai fait pour Mr Roman. » Je n'ai pas retrouvé les factures que Joachim a dû adresser à Joseph Roman. En revanche, ce dernier a dressé un compte exact des dépenses qu'il a effectuées au château depuis 1876. Une ligne est consacrée chaque année au menuisier qui n'est certes pas nommé, mais dont tout laisse à penser qu'il s'agit de Joachim. Il aurait été employé à partir de 1876, touchant cette année-là 20 francs, puis 2 278,75 francs en 1877, 820 francs en 1879, 600 francs en 1880, 355 francs en 1881, soit un total 4 073,75 francs. Joseph Roman a aussi fait appel à un « menuisier de Gap », distinction qui confirme que Joachim n'est pas le seul à intervenir au château. Par ailleurs, Joachim a continué à être employé dans les années suivantes, mais de manière plus irrégulière. Il touche ainsi 450 francs en 1882, 219 francs en 1886, 146 francs en 1887, et encore 60 francs en 1893 et 343,50 francs en 1894[1]. Joseph Roman a alors entrepris la réfection des parquets du deuxième étage qui se poursuit les années suivantes. Joachim a aussi participé aux travaux entrepris dans la chapelle à partir de 1889. Une somme de 250 francs est alors affectée à ces travaux, un autre état de compte précisant : « À Martin, menuisier, 150 francs[2]. »

On ignore la part exacte qui, sur ces sommes, relève des fournitures acquises par Joachim. Une facture retrouvée dans les papiers de Joseph Roman montre par exemple que Joachim s'est acquitté en août 1879 d'une somme de 38 francs pour l'achat de huit feuilles de verre auprès de l'entreprise Espitalier de Gap[3]. La fourniture des matériaux suppose pour Joachim de posséder un capital propre pour faire l'avance. On dispose de peu d'informations sur la provenance du bois avec lequel il travaille mais il est fort probable que la plus grande partie des planches vient de la région. Par une allusion peu amène, Joachim nous apprend qu'il a reçu un arrivage de parquet en mélèze, espèce très fréquente dans les bois des Hautes-Alpes. Il a été préparé dans la scierie fondée par François Pavie à Savines mais Joachim, qui n'apprécie guère Pavie pour une raison qu'on ignore, le trouve de mauvaise qualité : « Pavie maire de Savines, mécanicien de la Cie a envoyé un plancher mélèze très mal fait. Sa raboteuse ne va pas comme celle de Marseille. 4,50 francs le m / chambre bleue. » Une facture établie par François Pavie le 1er juillet 1881 confirme que l'entreprise fournissait le château ; elle concerne une livraison de 38 mètres carrés de bois de mélèze, mais à 3,50 francs le mètre carré, soit un total de 133 francs acquitté par Joseph Roman[4]. Ce plancher a donc été posé dans l'une des chambres, la chambre bleue, dite aujourd'hui « chambre de l'accouchée », qui était réservée à Isabelle Roman. Le parquet y est donc refait avant son arrivée au château, le mariage ayant eu lieu en septembre. Elle réserve peut-être encore des surprises, car elle a conservé son plancher d'origine. La note laisse entendre qu'une partie du bois vient aussi de Marseille. Dans une autre bribe, Martin évoque brièvement un chargement de bois arrivé du Havre et qui est revenu à 2,50 francs le mètre carré, ce qui laisse supposer un bois de moindre qualité.

Il travaille apparemment seul, sans aide, ni apprenti. Ses trois fils seront menuisiers comme lui, mais ils sont encore trop jeunes alors pour l'accompagner sur les chantiers. Il ne fait en tout cas aucune référence à la présence d'un enfant qui pourrait lui apporter son concours, bien que ce soit l'époque des vacances scolaires. La réfection s'effectue en plusieurs temps. Il lui a fallu d'abord enlever le plancher qui se trouvait dans la pièce. Puis il lui faut s'assurer que les lambourdes posées par son prédécesseur sur les solives de la charpente n'ont pas été détériorées, ou n'ont pas pourri, ce qui le conduirait à les changer. Puis vient la pose du parquet. Chaque planche est rainurée sur un côté et dotée d'une languette sur l'autre, afin de permettre aux lattes de s'encastrer les unes dans les autres, la languette s'intégrant dans la rainure. C'est à cette étape qu'une fois posée sur les lambourdes, la planche est clouée avec des pointes ou des clous sans tête qui sont chassés à l'intérieur du bois pour que rien n'apparaisse[5]. Le menuisier doit donc nécessairement disposer d'un marteau, de pointes et de clous, d'un chasse-pointes, d'un ciseau à bois, mais aussi d'un rabot en cas d'imperfections constatées dans la préparation des planches. Il lui faut aussi une scie pour la préparation des lambourdes et des clous à bateau pour les fixer aux solives. Bref, le menuisier arrive muni de ses outils, probablement dans une sacoche qui contient aussi de quoi se restaurer et étancher sa soif au cours de la journée.

Naturellement, il s'arrête pour manger et boire, pause propice à l'écriture sur les planches, ce qui explique qu'il précise à plusieurs reprises la nature des mets consommés : «5 heures. Je viens de manger un morceau de cochon qui vaut 1,10 franc la livre et un verre d'eau sucrée. Voilà mon existence, toujours seul au château. Je m'ennuie.» L'ennui explique sans nul doute le retour à l'écriture : «Ami je viens de dîner (Dieu quel dîner) 2 assiettées de soupe», mention qui laisse penser que le personnel du château lui a apporté de quoi se nourrir. Un lendemain de soirée un peu trop arrosée, il se contente à nouveau d'eau sucrée, signe qu'à l'ordinaire il consomme du vin pendant la journée, ce qui n'a rien d'exceptionnel à l'époque : «Je siffle et suis gai et pourtant j'ai fait le plancher sans goutte de vin, réduit à boire l'eau sucrée et quelque bâton de chocolat par ma conduite déréglée. Sois plus sage et tu seras heureux. Martin.» L'allusion au bâton de chocolat vient rappeler que ce produit diffusé par le chocolatier Menier a pénétré les campagnes. On le fourre dans un morceau de pain, origine de l'actuel pain au chocolat.

Joachim revient à plusieurs reprises sur le coût de la vie, insistant sur l'augmentation des prix depuis 1848, en citant particulièrement le prix de l'hectolitre de vin qui aurait été multiplié par 10, pour se fixer entre 60 et 70 francs au début des années 1880, conséquence directe de la pénurie liée à la crise du phylloxéra qui a décimé plusieurs millions d'hectares de vigne en France. Le vin se vendait en effet à 8 francs l'hectolitre d'après l'enquête de 1852, évoquée plus haut. «Le vin à 60 francs l'hecto, le pain à 50 centimes le kg. Les pommes de terre 12 francs les 100 kg; huile de noix 1,10 franc la livre. La viande 1,80 le kg. Comment veux-tu vivre?», écrit Joachim. Il est ici sensible aux oscillations du prix du pain, qui demeure la base de l'alimentation; celui-ci a grimpé jusqu'à 80 centimes le kilogramme en août 1881, après avoir tourné autour de 40 à 50 centimes. Le kilogramme de viande s'établit à 1,5 franc, celui du porc à 2,50 francs et un couple de poules revient à 6 francs tandis qu'une douzaine d'œufs coûte un franc et le kilo de pommes de terre entre 12 et 20 centimes. Le budget d'une famille rurale des années 1880 est essentiellement consacré à l'alimentation, d'où la préoccupation de Joachim qui a alors quatre enfants à charge. La part dévolue au logement est réduite puisque la famille est propriétaire de sa maison, mais il faut s'acquitter des divers impôts et taxes et de la patente que Joachim évoque au détour d'une phrase: «Je paye patente. 40 francs par an d'imposition.» La somme de 40 francs correspond en fait à l'intégralité des impôts qu'il paie au début des années 1880, la patente représentant une somme de cinq francs par an pour un menuisier. Cette imposition sera un peu plus élevée dix ans plus tard. Au début des années 1890, il s'acquitte en effet d'une taxe foncière de 46,58 francs correspondant à 9,08 francs versés pour les propriétés non bâties, soit les prés, champs et vignes qu'il possède, et 37,50 francs pour les deux maisons dont il est propriétaire avec sa femme dans le village. Il paie en outre une taxe personnelle et mobilière de 21 francs, pour l'essentiel liée au fait qu'il loue sa seconde maison et doit s'acquitter enfin de la taxe sur les portes et fenêtres, ses deux maisons ayant respectivement trois et cinq ouvertures, soit à raison de 30 centimes par ouverture, une taxe supplémentaire de 2,40 francs[6]. En payant 75 francs de contributions à la fin de sa vie, Joachim s'est quelque peu enrichi et s'approche désormais d'une petite bourgeoisie rurale toujours très difficile à circonscrire[7].

Joachim se plaint aussi de la pénurie de denrées de première nécessité, qui contribue à ses yeux à la hausse des prix. Il l'impute aux ouvriers travaillant pour le chemin de fer et aux prisonniers de la prison d'Embrun : « Les employés du chemin de fer avalent tout sans compter la centrale. » Or l'arrivée du chemin de fer va permettre à la région d'être drainée en produits de toutes sortes, notamment du vin, ce qui va modifier les circuits d'échanges, mais fragiliser en même temps l'économie locale en introduisant une concurrence difficile à affronter pour les paysans de la vallée de la Durance. Lorsque Joachim écrit, la ligne de chemin de fer n'est pas encore achevée et les effets ne s'en font donc pas encore sentir.

La multiplicité des chantiers

L'essentiel du travail de Joachim pendant les étés de 1880 et 1881 est la pose du plancher dans les diverses pièces du château de Picomtal, mais aussi la réparation des portes et fenêtres. Il a également un chantier en cours chez un médecin de Marseille, le docteur Hippolyte Chevallier, originaire du village où vivaient ses parents, mais né à Cayenne, en Guyane, en 1836. Il a acheté en 1877 une belle maison située à l'entrée du village des Crottes, sur la route de Gap. Elle servait auparavant de relais de poste. Le docteur Chevallier y passe généralement l'été, provoquant en 1879 une levée de boucliers de la part d'une partie des habitants du village quand, après avoir fait faire des travaux de fouille dans sa propriété, il provoque le détournement de la source qui alimentait la fontaine du bout du village[8]. On sait combien la question de l'eau est alors cruciale, particulièrement en été. Le conseil municipal de la commune réagit immédiatement en sommant le médecin de remettre tout en l'état. Deux ans plus tard, le docteur a annexé l'ancien chemin de ronde devenu route communale, interdisant le passage aux habitants, ce qui là encore provoque des récriminations et conduit le conseil municipal à s'interroger sur l'histoire des remparts de la ville, avant d'exiger la réouverture du chemin fermé par le médecin[9]. Joachim travaille chez ce docteur en août 1880, en sa présence. Mais il a travaillé aussi pour d'autres commanditaires. Il lui arrive par exemple de fabriquer du mobilier. Il a ainsi façonné des crédences pour trois églises du village, Saint-Laurent, Saint-Jean et Saint-Sauveur, église pour laquelle il a également fabriqué un confessionnal. Le prix des crédences s'établit entre 200 francs et 250 francs, le confessionnal lui rapporte 50 francs.

En revanche, il n'a pas été choisi pour refaire le toit de la maison de Jean-Joseph Michel, située dans le hameau du Picomtal, qui a entièrement brûlé le 3 mars 1879. Il se souvient pourtant fort bien de cet incendie, ayant participé avec une trentaine de pompiers à l'éteindre, après avoir passé plusieurs heures à pomper l'eau de la Durance, fraîche au mois de mars, et en avoir retiré une « mauvaise maladie ». Joachim met ainsi en avant un des fléaux des campagnes, le feu, qui prend d'autant plus vite dans la région qu'une grande partie des maisons est construite en bois. Pour lutter contre les incendies, la commune s'est dotée d'une compagnie de sapeurs-pompiers composée d'un sous-lieutenant, de deux sous-officiers et de 31 hommes. La pompe à incendie est entreposée dans un local, à proximité de la mairie qui prend en charge les frais d'entretien de la compagnie. Joachim, qui appartenait déjà à la compagnie de sapeurs-pompiers des Crottes, confirme son engagement pour cinq ans en décembre 1882, comme l'atteste sa signature au bas de la convention signée avec la mairie[10].

À l'occasion de cet incendie, apparaît sous le crayon de Joachim une des familles les plus marquantes du hameau de Picomtal, la famille Michel. « Le charpentier du château d'Embrun vient de finir le toit de Michel

Michel du Picomtal qui a brulé le 19 mars 1879.» De façon significative, il désigne la maison brûlée du nom du père de Joseph Michel, Michel Michel, personnage à la forte personnalité. En fait Michel Michel est mort le 13 décembre 1864, un an à peine après le mariage de son fils qui a hérité de sa maison. Vivent dans cette maison une famille de cultivateurs de quatre personnes : Jean-Joseph Michel, âgé de 49 ans – il est né le 21 juin 1831 – son épouse, Marie Anne Isnard, originaire de Saint-André où elle est née le 15 novembre 1833 – il l'a épousée le 11 juin 1863 – et leurs deux enfants, Joseph et Julie Marie. Mais dans le hameau de Picomtal, la famille Michel se décline aussi à travers deux oncles de Joseph, Jean-Louis, qualifié de célibataire en 1866, qui vit avec son neveu, Frédéric, le frère cadet de Joseph, dont nous reparlerons, né en novembre 1841, et Théodore, né en 1815, marié à Émilienne Blanchet, avec laquelle il a eu deux enfants, Joseph et Louis. Geste volontaire ou accident, l'aîné des Michel est désigné par Joachim comme le responsable de l'incendie : «Ce feu a été mis par un chat et Michel Leynet [lire "l'aîné"] (court et trapu) oncle de celui qui a brûlé.» Et plus loin, Joachim précise : «L'oncle est mort à l'écurie de chagrin après avoir été gracié à Gap aux assises (4 mois à Gap).» De fait, Jean Louis est décédé dans sa maison le 10 octobre 1879. S'est-il suicidé ? Est-il mort des suites du choc provoqué par ses aventures judiciaires ? Joachim se montre par ailleurs critique sur les conditions de reconstruction de la maison, qui «a été rebâtie au bois de la commune et aux frais des habitants», ce que confirme une délibération du conseil municipal des Crottes[11].

Le travail de la terre

Menuisier, Joachim Martin cultive aussi la terre, comme la plupart des artisans des campagnes. Il possède une douzaine de lopins répartis sur le terroir du village, qui forment à sa mort un ensemble de 40 ares, ce qui en fait une micropropriété. Son attention aux conditions extérieures, en particulier au climat, révèle un homme préoccupé par ses récoltes. Pendant quatre mois, de mai à août 1881 par exemple, il n'est pas tombé une goutte de pluie, la sécheresse provoquant notamment la disparition des prairies naturelles. «Depuis 4 mois nous n'avons pas eu de pluie. Il y a de quoi pleurer. Les vignes sont ruinées.» Les températures ont été particulièrement élevées au cours du mois de juillet à travers tout le pays. Dans l'Embrunais, le thermomètre franchit les 37 degrés à la mi-juillet[12], mais la chaleur est restée vive en août, d'où ce cri d'allégresse de Joachim lorsque les orages arrivent début septembre: «Le 1er septembre 1881 il pleut et tonne. Depuis 4 mois nous attendons cette [pluie]. Sur la montagne le bétail crevait de faim et de soif. Le soleil marque 70 degrés de chaleur et 40 degrés à l'ombre; les chouettes crèvent et le fruit tombe. Un peu de blé dans la plaine; pas de pomme de terre sur les montagnes, rien qui puisse nourrir l'habitant. C'est une misère à vivre.» En quelques mots, Joachim rend compte de la catastrophe que représente l'absence d'eau. La pénurie menace non seulement le cycle des cultures, mais aussi l'organisation des estives, les moutons envoyés dans les alpages souffrant eux aussi du manque d'eau et de l'assèchement de l'herbe. Cela signifie qu'à la sortie de l'hiver les bêtes auront moins engraissé que prévu, si elles n'ont pas péri, et se négocieront moins cher dans les différents marchés. Le manque de pommes de terre est également souligné car elles sont un complément alimentaire indispensable, surtout en période de disette. La question climatique préoccupe à ce point Joachim qu'il y revient encore : « St Roch n'a pas beau temps, il pleut il tonne il grêle. Bien des raisins, pas de blé. » Après la sécheresse, la grêle achève de ruiner les récoltes, en l'occurrence la vigne.

Derrière ces notations, on perçoit la préoccupation d'un homme qui est aussi père de famille et dont la femme est malade. On se demande, du reste, quand est-ce qu'il trouve le temps de s'adonner aux travaux des champs. Comme beaucoup de ruraux des Hautes-Alpes, et de nombreuses régions françaises, Joachim élève aussi un cochon. « Je vais à Embrun acheter un cochon qui sont très chers cette année », note-t-il. L'animal est engraissé d'août à décembre, puis est tué au cours d'une fête qui réunit le voisinage et permet de fournir à la famille les salaisons et charcuteries qui seront consommées pendant l'hiver. Joachim est donc proche de la terre. Pourtant il ne se considère pas comme un paysan. Son identité professionnelle est celle d'un artisan, d'un menuisier[13]. Il ne dit du reste jamais directement qu'il travaille la terre, introduisant ainsi implicitement une différence, sinon une barrière entre les différentes catégories de la société rurale.

Il a néanmoins une vie après le travail. Ses principaux loisirs se passent à recevoir des amis autour d'un repas ou d'un verre et à animer les bals de la région, deux occasions pour lui de pratiquer le violon. La consommation d'alcool est assez élevée chez les habitants du village même si elle est sans doute inférieure à la moyenne nationale qui s'élève à environ 18 litres d'alcool pur par personne et par an, ce qui équivaut à une consommation de 180 litres de vin à dix degrés[14]. Chaque habitant possède un bout de vigne, du moins jusqu'à la crise du phylloxéra. Joachim a conservé deux parcelles de vigne jusqu'à sa mort, parcelles que son fils a continué ensuite à cultiver. Il fabrique donc son propre vin, mais fait aussi distiller une partie de sa production et ne dédaigne pas de boire à l'occasion de l'eau-de-vie dans des proportions que nous ne connaissons naturellement pas. Quant au vin, il est le compagnon des journées de travail, comme des soirées entre amis. Et quand il doit se contenter d'eau sucrée parce que la soirée précédente a été trop arrosée, il ne manque pas d'en faire part à son lecteur.

CHAPITRE V

LA RÉPUBLIQUE AU VILLAGE

La perception des changements politiques récents est tangible à travers le discours de Joachim. Son propos s'enracine dans l'histoire et propose quelques jalons qui n'ont que peu à voir avec les événements nationaux. Il ne fait aucune allusion à la succession des régimes depuis son enfance, mais évoque la défaite de Sedan qui aurait provoqué la mort du maire de l'époque, ce qui invite à revenir sur son rapport aux édiles de son village, voire du canton. Comment juge-t-il les détenteurs du pouvoir ? Et comment perçoit-il depuis 1870 l'avènement de la République ? Ses propos offrent une belle illustration de la manière dont les campagnes sont entrées en politique[1].

Les maires du village

Le maire d'une commune rurale est toujours un personnage central de la vie des habitants. Depuis l'époque de la Révolution, ils sont nombreux à s'être succédé aux Crottes. Mais le souvenir le plus ancien qu'évoque Joachim est celui de son beau-père, «ex maire de Crottes». Son élection date de juillet 1848. Cette année-là, aux Crottes comme dans le reste de la France, on a beaucoup voté pour élire les représentants à l'Assemblée constituante en avril, les maires en juillet, les conseillers généraux et d'arrondissement en août. Tous les hommes du village ont été invités à prendre part au processus électoral en vertu de la loi instituant le suffrage universel. On ignore évidemment comment la population du village a vécu l'événement. Ils sont en tout cas 140 à s'être déplacés pour déposer leur bulletin dans une boîte prévue à cet effet et placée sur une table derrière laquelle se trouvait le président du bureau de vote, en l'espèce le maire en exercice, Antoine Robert, qui a été désigné par le Gouvernement provisoire après la révolution de février 1848 qui a vu la chute de la monarchie de Juillet et l'avènement de la Seconde République. Fidèles à la tradition des assemblées communales, les électeurs sont généralement présents à l'ouverture du scrutin. On choisit parmi eux les scrutateurs, puis les électeurs sont appelés à tour de rôle par le maire auquel chacun tend son bulletin. Le maire s'assure qu'il n'y en a qu'un et le dépose ensuite dans la boîte déjà évoquée que l'on n'appelle pas encore une urne. Le scrutin, ouvert à 7 heures du matin, est clos à 10 heures. Les résultats mettent très nettement en tête trois noms : Antoine Robert, le maire provisoire, et Jean Joseph Hermitte qui obtiennent tous deux 112 voix, puis en troisième position, Louis Berthe, le propriétaire du château de Picomtal, qui a recueilli 102 suffrages. Deux autres conseillers sont également élus au premier tour : Joseph Faure et Jean-Jacques Albrand, avec 95 et 75 voix. Il reste alors deux sièges à pourvoir. Un second tour est organisé le jour même à 14 heures, ce qui suppose que les électeurs sont restés sur place pour départager les trois suivants et pourvoir les deux sièges restants. Sans surprise, les deux candidats arrivés en sixième et septième positions sont élus, à savoir Jean Joseph Albrand et Jean Joseph Fache[2]. Antoine Robert reste à la tête de la commune pendant toute la Seconde République.

Avec l'avènement du Second Empire en décembre 1852, le préfet nomme à la tête de la commune Louis Berthe qui était déjà membre du conseil municipal[3]. « Mr Berthe est resté 20 ans maire de la commune des Crottes. Le chagrin de 1870 l'a étouffé le jour de la prise de Sedan », rappelle Joachim. Louis Berthe a alors 55 ans. Il est représentatif de ces maires nommés par le pouvoir, en l'occurrence par le préfet des Hautes-Alpes, et choisis parmi les notables villageois. Il reste maire durant tout le Second Empire, puisqu'il meurt en charge le 6 novembre 1870. Dix ans après sa mort, Joachim a conservé son souvenir et un attachement réel, au point d'aller fleurir sa tombe au cimetière du village: «J'ai garni le tombeau de Mr Berthe.»

À la mort de Louis Berthe, c'est son adjoint qui assure les fonctions de maire, avant d'être désigné à ce poste en mai 1871. Joachim n'en parle pas, sans doute à cause de la courte durée de son mandat. Louis Casimir Jame était né le 25 mai 1828 aux Crottes. Il est, comme Berthe, fils de cultivateur, mais son père, Jean-Antoine Jame, a également exercé les fonctions de maire sous la monarchie de Juillet, ce qui démontre que les paysans ont assuré ces charges au cours du XIXe siècle sans attendre l'avènement de la République[4]. C'est un paysan propriétaire aisé dont le revenu est estimé à 1 000 francs par an. Casimir Jame avait également exercé brièvement les fonctions de maire entre août et novembre 1852, avant de redevenir adjoint. En 1871, il est élu au premier tour par onze voix sur douze[5]. Son adjoint est Jean-Pierre Chevallier, dont le revenu est estimé à 700 francs. Il est également élu au 1er tour, par 6 voix sur 11.

En 1873, Jame est remplacé par Honoré-Auguste Philip, que nous avons déjà évoqué tant il occupe les pensées de Joachim. Né le 1er novembre 1838 aux Crottes, fils de Joseph Antoine Philip, cultivateur et aubergiste, candidat malheureux aux élections municipales de 1848 – il n'avait obtenu que 42 voix – et de Marie Marguerite Philip, Honoré-Auguste Philip est également aubergiste, fonction qui prédispose, par les contacts qu'elle suppose avec les électeurs, à entrer en politique. Les cafés sont par ailleurs l'un des lieux privilégiés de rencontre et donc de discussions politiques[6]. Philip est maire des Crottes de février 1873 à janvier 1881. Il a donc accompagné la révolution des mairies qui a vu les républicains s'emparer du pouvoir municipal dans les années 1870, prélude à leur conquête des assemblées à la fin de la décennie. Joachim le désigne du reste comme un maire gambettiste, ce qui le situe à gauche du parti républicain, alors que Joachim fait preuve de sentiments républicains réels, mais plus modérés, du moins au début des années 1880. Cette désignation confirme que, dans l'opinion publique, Gambetta est le véritable chef du « parti républicain », même s'il n'en a pas le titre. Il le doit à son engagement constant en faveur de la République, manifesté par de très nombreux discours prononcés à travers la France qui lui ont valu le surnom de « commis-voyageur de la République ». Les propos que tient Joachim à l'égard de Philip sont sévères ; il dénonce à la fois sa gestion des fonds de la commune et son anticléricalisme virulent. « La commune a fait un emprunt qui passera par les mains du maire Philip et nous serons ruinés. 25 mille je crois. Malheur nous n'aurons que les sous et les pièces seront pour eux. » Cette critique relève du registre classique de la dénonciation de la corruption des élites, fussent-elles locales[7]. Joachim enfonce le clou sous une autre planche : « le maire Philip empoche l'argent, le cochon. » Il le décrit encore, à l'occasion de sa défaite aux élections de janvier 1881, comme un « homme brute et voleur des fonds de la commune ». Il insiste aussi sur son anticléricalisme : « Comme son père il est le destructeur de la religion, pas de messe, pas de prière», ajoutant «il a besoin de prier». Joachim intervient encore sur un autre registre en s'en prenant, sans véritable explication, à la famille de Philip : «4 enfants : 3 filles et 1 garçon. Fille aînée goitre, 2ème boiteuse, 3ème fille muette sourde, garçon muet et sourd.» Il est clair que le contentieux entre les deux hommes dépasse le cadre strictement politique. Et pourtant, ce sont des amis d'enfance : Philip était témoin au mariage de Joachim. Et contre toute attente, ils opéreront quelques années plus tard un rapprochement.

Sur le plan local, les élections municipales de janvier 1881 sont suivies avec intérêt par Joachim Martin. Ces élections ont été marquées par le renouvellement de la moitié du conseil municipal que quittent notamment l'ancien maire Philip, mais aussi plusieurs de ses fidèles, ceux qui l'ont accompagné jusqu'au bout, les dernières séances du conseil à la fin de 1880 n'étant plus suivies que par six membres du conseil. Il faut sans doute y voir une réaction face aux récentes mesures prises par le maire, notamment l'emprunt de 20 000 francs qu'avait dénoncé Joachim. Ce dernier regrette que Joseph Roman n'ait pas accepté le poste de maire que le plus grand nombre de suffrages lui permettait de briguer. La mairie échoit donc à Marcellin-Désiré Lagier, que Martin traite sans plus de ménagement que son prédécesseur. Il est quasiment le contemporain de Philip, puisqu'il est né le 2 décembre 1839 aux Crottes, dans une famille de boulangers. Lui-même est aubergiste. Il est élu maire sans avoir été au préalable ni maire ni adjoint, par 11 voix sur douze. Son adjoint, Casimir Gras, âgé de 55 ans, est propriétaire au hameau du Bosquis[8]. Joachim décrit le maire comme «gros et sot», et son adjoint, comme «avare et jaloux». Il est également très sévère à l'encontre de l'ensemble du conseil municipal élu en 1881 : «Ignorance complète. Sur 7 conseillers, il y en a 4 qui ne savent lire», ce qui est sans doute excessif quand on connaît le niveau élevé d'instruction des habitants des Hautes-Alpes, département qui fournit nombre d'instituteurs. Joseph Roman lui-même souligne, dans la monographie qu'il consacre à la commune, que «les habitants, presque sans exception, parlent assez purement le français et savent lire, écrire et compter[9]». En parlant de sept conseillers, Joachim n'évoque que ceux qui ont été élus au chef-lieu. L'étendue de la commune justifie en effet qu'elle soit divisée en deux sections, la section correspondant au chef-lieu et aux hameaux des environs qui élisent huit conseillers, et la section de Saint-Jean qui couvre la montagne et élit quatre conseillers, dont l'un est désigné comme adjoint. Joachim est donc critique à l'égard des élites municipales des Crottes, peut-être par dépit de n'en point faire partie.

À peine installée, la nouvelle équipe municipale constate que le budget de la commune présente un déficit de plus de 3 000 francs et surtout s'inquiète de la manière dont les comptes ont été tenus, soupçonnant des actes frauduleux. Le conseil décide donc de nommer un expert, en la personne de Jean-Pierre Chevallier, chargé de «dresser un inventaire du mobilier de la commune, de tous les papiers qui composent les archives de la mairie ainsi qu'un règlement de comptes antérieurs à l'installation du nouveau conseil municipal[10] ».

Désiré Lagier meurt subitement le 9 septembre 1883. Quelques jours après, Joseph Roman accepte la charge de maire. Il est élu par onze voix sur douze[11]. La mort de Désiré Lagier provoque aussi une élection complémentaire remportée par Jean-Pierre Chevallier qui est largement élu par 71 voix sur 80 votants, devant Serres, qui n'en obtient que quatre. L'ancien maire, Honoré-Auguste Philip, a également obtenu une voix[12]. Jean-Pierre Chevallier retrouve le conseil municipal à 71 ans, lui qui avait été adjoint au maire des Crottes au début de la Troisième République, quand le maire était Casimir Jame. Surtout, il s'impose rapidement, auprès de Joseph Roman, comme un élément indispensable du conseil municipal, et ce d'autant mieux que l'adjoint élu, Gras, habite assez loin du chef-lieu.

Le conseil municipal en crise

En 1883, la nouvelle équipe municipale conduite par Joseph Roman découvre que l'ancien maire des Crottes, Philip, a signé en 1873 un accord avec l'administration des forêts concernant le reboisement de la commune. Ce projet prévoyait le reboisement obligatoire de 1 769 ha 45 ares de terrains et le gazonnement de 525 ha 95 ares. Il était prévu, en contrepartie, de verser à la commune une indemnité de 1 900 francs annuels, mais celle-ci devait s'engager à limiter à 1 050 le nombre de bêtes envoyées sur les terrains en reboisement et à ne plus accueillir dans la forêt de Morgon de troupeaux extérieurs au village. Pendant dix ans, ces dispositions sont restées inconnues parce que l'administration des forêts avait tardé à les mettre en application. La loi de 1882 sur le reboisement relance le processus. Et c'est au moment où l'administration des forêts commence des travaux dans le village que la municipalité demande des explications et découvre l'accord de 1873[13]. Cette découverte provoque une réaction immédiate au sein de la population, qui se mobilise, notamment par une pétition adressée au ministre de l'Agriculture, rappelant que l'élevage représente une des principales ressources du village[14]. Le maire Joseph Roman soutient ses administrés[15]. L'administration des forêts n'entend pas renoncer à son projet de reboisement mais accepte l'idée de le mener par étapes et donc de laisser un plus grand nombre de moutons monter dans les alpages, ce qui n'apaise pas les tensions dans la commune où la colère gronde à l'idée que la surface des pâturages d'été sera réduite. Dans sa séance du 30 décembre 1883, le conseil municipal dénonce fermement la politique conduite, mettant en cause les méthodes de l'administration du reboisement qui, «foulant aux pieds les droits sacrés de la propriété, est venue faire irruption sur nos montagnes pastorales et traiter la commune en pays conquis». Les travaux ont en effet commencé. Le conseil dénonce alors des méthodes despotiques peu conformes à l'idéal républicain:

«Le droit de propriété étant un droit sacré et inviolable que toutes les lois protègent, que tous les peuples civilisés respectent, notre impartial gouvernement ne voudrait ni ne pourrait souffrir que la commune fût opprimée par des actes de violence antirépublicains exercés par l'administration forestière, lesquels terniraient même l'éclat de sa sublime devise: Liberté, Égalité, Fraternité[16].» L'administration des forêts défend de son côté son projet de reboisement au nom de l'utilité publique, ce qui va occasionner des tensions très fortes, voire des affrontements entre habitants et agents forestiers dans les années suivantes.

La grogne contre l'administration des forêts est l'occasion de dénoncer l'ancien maire. Il réagit par voie d'affiche en accusant ses détracteurs de calomnie, mais sans parvenir à convaincre. L'affaire prend un tour d'autant plus politique que Philip passe pour un républicain avancé. Au début de 1884, l'adjoint au maire des Crottes, Jean-Pierre Chevallier, qui fait office de maire en l'absence de Joseph Roman, va même plus loin en cherchant à humilier Honoré-Auguste Philip au terme d'une affaire très révélatrice des tensions larvées au sein de la commune. À l'occasion d'un incendie qui a détruit les maisons de deux habitants d'un hameau des Crottes, la commune décide de leur venir en aide en lançant une souscription qui peut s'apparenter à une sorte d'impôt forcé. Jean-Pierre Chevallier a en effet établi préalablement la liste des villageois qui sont sollicités un à un, la somme versée étant indiquée au regard de leur nom. Il a ensuite reconnu qu'il s'agissait de faire pression sur les habitants, évoquant un «moyen puissant, employé dans le temps aux Crottes et employé ailleurs pour empêcher les abstentions et stimuler la générosité de chacun[17]». Faisant le tour du village, Jean-Pierre Chevallier accompagné d'un autre conseiller, Albrand, et du garde champêtre, se présente chez Philip qui refuse de les recevoir et de donner, aux dires de l'adjoint, la moindre somme. Chevallier inscrit alors sur la liste des donateurs, en face du nom de Philip, cinq zéros. «Nous fûmes, explique-t-il ensuite, contraints de mettre des zéros pour marquer la nullité de l'offrande[18].» Le même procédé est employé à l'égard du boulanger Pellat. L'ancien maire Philip, découvrant les listes affichées à la porte de la mairie, n'aurait pu retenir son irritation. Jean-Pierre Chevallier se justifie auprès des autorités tout en déplaçant l'affaire sur le terrain politique, dénonçant tout à la fois l'opportunisme de Philip qui aurait ménagé le candidat monarchiste en 1877 et vilipendant son républicanisme ardent.

Le sous-préfet a immédiatement perçu lui aussi la dimension politique de l'affaire, surtout à quelques semaines des élections municipales : «Je ne crains pas de le dire, dans une commune aussi divisée, où la minorité très faible de républicains est en butte à tant de vexations et d'humiliations, c'est un véritable acte d'excitation à la haine des citoyens les uns envers les autres.» Et le sous-préfet voit dans l'affrontement entre Chevallier et Philip la mainmise du parti clérical, dont le curé serait le chef.

«Le véritable maire est le desservant Lagier, prêtre fanatique, ennemi militant de la République, mais anonyme
en la circonstance.» Et il ajoute: «Les républicains des
Crottes veulent être défendus sinon leur découragement
sera grand.» Dans une autre missive, le sous-préfet avait
cependant précisé à propos de Philip: «Il n'y a pas à
s'engager à fond pour Philip dont tout ce que dit
Chevallier est vrai[19].»

La réaction du préfet contre cet affichage est vive. Il
demande que cet acte soit «blâmé énergiquement» et que
Jean-Pierre Chevallier soit sermonné: «Vous voudrez
bien, écrit-il au sous-préfet, en même temps inviter le
Sr Chevallier à se renfermer à l'avenir dans la circonspec-
tion et la réserve que lui commandent les fonctions qu'il
est appelé provisoirement à remplir[20].» C'est dans ce
contexte que sont lancées plusieurs pétitions contre
l'abbé Lagier, dont l'une datée de mars 1884 est adressée
au député Ferrary qui la transmet au ministre des Cultes.
Nous aurons l'occasion de l'analyser en détail plus loin.
Elle est revêtue de 26 signatures, dont celles d'Honoré-
Auguste Philip et de Julien Pellat, boulanger, considérés
par le sous-préfet comme les chefs du parti républicain
des Crottes, mais on y retrouve aussi en très bonne place
la signature de Joachim Martin, dont les motivations sont
peut-être plus personnelles que politiques, mais qui se
range ainsi ostensiblement du côté des républicains anticléricaux contre les cléricaux.

Quelques mois plus tard, le 3 août 1884 précisément,
ont lieu les élections municipales. Joseph Roman est réélu

conseiller municipal, mais il n'obtient que 73 voix alors que le mieux élu, Jean Antoine Serres, en a obtenu 88 – il n'en avait recueilli que quatre lors des élections complémentaires de 1883. L'adjoint Chevallier subit le même effet de méfiance, avec 72 voix[21]. Les deux hommes sont néanmoins réélus conseillers municipaux, et lors de l'élection du maire, le 30 août 1884, Joseph Roman est réélu, contre Jean-Pierre Chevallier qui n'obtient qu'une voix, probablement la sienne, contre huit à Joseph Roman[22].

Mais Jean-Pierre Chevallier n'a pas dit son dernier mot. Au printemps de 1885, il profite de l'absence de Joseph Roman pour le mettre en cause à propos de sa gestion du dossier du reboisement et obtient sa mise en minorité. De nouvelles élections ont donc lieu en juin 1885. Joseph Roman assiste au conseil municipal mais il ne présente pas sa candidature. Quatre conseillers sont en lice. Jean-Pierre Chevallier qui pensait devenir maire n'obtient toujours qu'une voix, sans doute encore une fois la sienne, mais le conseil se divise entre Étienne Henri Vallet et Casimir Michel qui obtiennent chacun quatre voix au premier tour et cinq aux deux tours suivants. Vallet est finalement déclaré maire au privilège de l'âge[23]. Il est né le 23 avril 1833, mais n'est pas originaire des Crottes. Marié à Marie Foubert, il a un fils, Jules, né le 20 avril 1867 aux Crottes[24]. Cultivateur, il vit dans le hameau de Poët. Quant à son concurrent, Casimir Michel, il est beaucoup plus jeune. Il est né aux Crottes, le 11 juillet 1853. Lorsqu'il épouse Julie Virginie Honoré, le 5 juillet 1883, il est qualifié de cultivateur et il habite le hameau de Picomtal. Trois ans plus tard, père d'un enfant, il est qualifié de cafetier. Bien que battu, Jean-Pierre Chevallier demeure adjoint jusqu'à sa démission en mai 1886. Le conseil n'en a pas fini avec les soubresauts, puisqu'en 1889, l'élection de quatre conseillers municipaux élus en mai 1888 sera annulée[25].

Les élites du canton

Critique à l'égard des élus au conseil municipal des Crottes, Joachim n'est guère plus indulgent à l'égard des édiles des communes voisines. Il évoque nommément le maire d'Embrun et celui de Savines, qui tous les deux ont un lien avec le village des Crottes. Amédée Ferrary fut à la fois maire d'Embrun et député des Hautes-Alpes. Né à Embrun le 26 avril 1827, il est le fils de Bartolomeo Ferrary, entrepreneur de travaux publics, et d'Alexine Pascal. Son père dont le prénom est francisé en Barthélémy à l'état civil, était né le 8 décembre 1780 à Poulou, à l'est du Piémont, région appartenant depuis 1802 au département de la Sézia, de Julien Ferrary et Marie Marguerite Villiani. Il arrive dans les Hautes-Alpes avec ses parents à une date inconnue, émigration facilitée par le fait que depuis l'annexion du Piémont par la France en septembre 1802, il était devenu citoyen français. Installé comme maçon à Embrun, de même que son frère Jullien, il épouse le 25 janvier 1804 (5 pluviôse an XII) une toute jeune fille de la région, Alexine Pascal, née le 16 juillet 1787. Seize mois plus tard, le 3 juin 1804,

Alexine met au monde une fille, Marie Marguerite, l'aînée d'une fratrie de sept enfants dont le futur maire d'Embrun est le dernier. Avant lui était né Julien, le 10 janvier 1807, qui devient ensuite entrepreneur de travaux publics, comme son père, et est maire d'Embrun de 1835 à 1839. Le deuxième, Melchior, naît le 5 octobre 1808 et meurt le 20 février 1814. Quant à François Barthélémy, né le 19 décembre 1812, il n'est pas déclaré à l'état civil. La grande armée vient de subir le désastre de la retraite de Russie que le 29e bulletin annonce précisément à cette date. C'est sans doute ce qui pousse ses parents à renoncer à signaler sa naissance à la mairie, manière de préparer l'avenir en lui évitant vingt ans plus tard un éventuel enrôlement. Ce n'est qu'en 1840, à la sortie de ses études de droit, et au moment de s'installer comme notaire à Embrun, qui le place dans la nécessité de fournir un acte de naissance, que François Barthélémy fait reconnaître sa naissance et son inscription sur les registres d'état civil[26]. Après avoir abandonné son étude, il se retire à Chorges où, resté célibataire, il meurt le 13 octobre 1886. Deux autres frères naissent après lui : Joseph Florimond, le 9 décembre 1816 et Jean Baptiste Bernard, dit Désiré le 8 juillet 1822. Ce dernier est le père du statuaire Désiré Maurice Ferrary[27].

Amédée a succédé à son père comme entrepreneur de travaux publics à Embrun. Joachim en parle d'autant plus que Ferrary père a travaillé longuement au château de Picomtal dans les années 1820. Joachim souligne que ses fils y sont nés, ce qui est une image dans la mesure où ils

sont tous nés à Embrun, mais cela manifeste le lien entretenu avec le château que le fils Ferrary achète à Bruno
Bontoux. C'est en prenant à ferme la prison d'Embrun
que Barthélémy Ferrary, venu du Piémont sans le sou, a
construit sa fortune. C'est en tout cas ce qu'en a retenu
Joachim: «Amédée Ferrary est l'avant-dernier des 4 frères
Ferrary nés dans le château. Leur père est venu du
Piémont avec 5 centimes dans sa poche. A servi les
maçons 10 ans à Embrun. Entrepreneur de la centrale il
y a gagné 50 mille francs et 10 au Pont Rouge»; Joachim
fait allusion au pont qui traverse le torrent de Boscodon.
La mention de la prison prouve qu'il est sensible à la
réussite sociale construite sur le travail, valeur essentielle
à ses yeux. Barthélémy Ferrary, naturalisé français, fait
partie du conseil municipal d'Embrun et est capitaine des
sapeurs-pompiers au moment de sa mort qui survient le
21 novembre 1845.

Maire d'Embrun de 1871 au 24 mai 1873, son fils
Amédée Ferrary se présente comme candidat républicain
aux élections législatives, le 1er octobre 1876, dans l'arrondissement d'Embrun, et est élu député contre M. de
Prunières, le candidat monarchiste. Il siège à gauche et
fait partie des 363 députés qui protestent contre le «coup
d'État» de Mac-Mahon lors de la crise du 16 mai, lorsque
le président de la République a décidé de dissoudre la
Chambre des députés récemment élue, espérant retrouver
une majorité monarchiste. À nouveau candidat en
octobre, il est cette fois largement battu par son concurrent, M. de Prunières, candidat de Mac-Mahon, qui

obtient mille voix de plus que lui. Mais l'élection de Prunières ayant été invalidée, Ferrary redevient député en 1878 et vote la plupart des mesures phares des gouvernements républicains. Il se fait réélire sans encombre en août 1881, au moment même où Joachim travaille au château de Picomtal. Il est encore réélu en 1885, se rapproche alors des radicaux, et meurt au cours de son mandat, à son domicile de Chorges, le 10 octobre 1886, une semaine après son frère François Barthélémy[28]. Il était resté célibataire.

Joachim évoque aussi le maire de Savines, François Pavie. Une fois encore, il est sensible à la promotion sociale de cet élu, notant qu'il «est fils d'un gros paysan pauvre comme moi». François Pavie, né le 2 février 1843 à Savines, appartient à la même génération que Joachim Martin. Il y a tout lieu de penser que les deux hommes se sont connus dans leur jeunesse, peut-être dans les bals que le jeune Joachim fréquentait assidûment. À dix-huit ans, François Pavie a émigré aux États-Unis, après un passage par Marseille où il est commis en librairie. Il en revient à vingt-sept ans, après avoir fait fortune en Californie, ce que Martin ne manque pas de rappeler: «Il a fait fortune en Amérique en 10 ans, colporteur de livres et papiers et étranglé quelqu'un à ce que l'on dit.» Joachim ne peut s'empêcher de rapporter les rumeurs courant sur le personnage, ce qui est aussi un moyen de mettre en valeur sa force de caractère. Pavie a un itinéraire politique qui ressemble beaucoup à celui de Ferrary. Conseiller municipal de Savines en 1869, engagé dans la garde mobile en 1870, il est nommé maire de Savines en mai 1871, puis révoqué en 1874, ce qui ne l'empêche pas d'être élu conseiller général du canton de Savines la même année. Dans le même temps, il fait fructifier ses intérêts économiques en développant la Manufacture cotonnière du Sud-Est et les Scieries mécaniques de Savines[29]. Il deviendra député des Hautes-Alpes en 1898, après avoir été battu en 1893. Il demeure député jusqu'en 1906, voyant à cette date sa commune natale ériger une imposante statue dédiée à la République, installée face à la mairie du village. La région d'Embrun n'échappe pas à la statuomanie qui caractérise la IIIe République[30].

La culture politique de Joachim

Joachim parle des élus, mais que sait-on de sa pratique politique ? Il est électeur à partir de 1863 et a probablement participé aux élections législatives qui eurent lieu cette année-là, comme aux suivantes en 1869 ou encore au plébiscite de 1870, sans parler des élections locales. Malheureusement, les listes électorales avec émargement des électeurs ne sont conservées qu'à partir de 1876. Cette année-là, Joachim s'est abstenu au premier tour, il est en revanche venu au second qui a vu l'élection de Ferrary[31]. Il prend également part aux élections de septembre 1877 dont l'enjeu est encore plus vif puisque les républicains ont été menacés par les droites à l'issue du « coup d'État » du 16 mai, préparé par Mac-Mahon[32]. L'élection du candidat monarchiste ayant été invalidée, il faut revoter en 1878[33]. Martin est présent[34]. Les listes des élections de 1881 n'ont pas été conservées. En revanche, celles de 1885 le sont. Joachim, pour la première fois depuis neuf ans, s'abstient aux deux tours. Ce refus de participation est peut-être lié à la rancœur accumulée après l'échec des démarches effectuées pour obtenir le départ de l'abbé Lagier, comme on le verra plus loin. Il reprend le chemin du bureau de vote en 1888, à l'occasion d'une élection partielle provoquée par le décès d'Amédée Ferrary[35]. Les Hautes-Alpes voient alors débarquer un parachuté en la personne d'Émile Flourens, ministre des Affaires étrangères après avoir été directeur des Cultes. Il est élu contre un candidat radical, Frédéric Euzière, maire de Gap, mais aux Crottes l'élection est disputée puisque Flourens est battu d'une voix, son concurrent obtenant 74 voix au chef-lieu[36]. Il est réélu en septembre 1889 député de la circonscription d'Embrun. Joachim a voté au premier tour qui a vu la large victoire de Flourens contre un candidat boulangiste, Bouchié-Debelle, par 3 753 voix contre 1 090 à son adversaire[37]. Joachim accomplit à nouveau son devoir électoral en 1893, au cours d'une élection beaucoup plus serrée, et qui fut même contestée. Flourens l'emporte en effet par 2 922 voix contre 2 870 à son adversaire, Pavie, maire de Savines, déjà évoqué, qui bénéficie d'un fort enracinement local. Il n'est du reste pas exclu que Joachim lui ait apporté son suffrage[38].

L'école au village

La République s'installe aux Crottes comme dans le reste du pays, par l'école. À la veille des lois laïques, le village des Crottes dispose déjà d'une école de garçons et d'une école de filles ainsi que d'une annexe au hameau de Saint-Jean et de plusieurs écoles temporaires dans les hameaux. La commune prend alors à sa charge la location des salles de classe ainsi que du logement des instituteurs et une partie de leur rémunération.

L'école des garçons est ancienne au chef-lieu puisqu'elle est attestée au moins depuis 1808. Elle fut longtemps abritée dans des locaux mal adaptés, l'instituteur qui était en place sous le Second Empire se plaignant de ne pouvoir faire classe tant la salle qui lui avait été affectée était obscure et humide, avec en son centre un pilier peu propice à se faire voir de l'ensemble des élèves[39]. Peu après, le maire Louis Berthe accepte de louer une partie d'une maison qu'il possède à la sortie du village. Cette maison se trouve être celle que Berthe a léguée à sa maîtresse, Marguerite Philip. Lorsque le bail arrive à son terme en 1874, Marguerite Philip accepte de le prolonger. Le contrat est signé par le maire des Crottes, Honoré-Auguste Philip, déjà évoqué, qui n'est autre que le frère de la propriétaire[40]. Il est ensuite renouvelé en 1879 ; le tout est loué pour une somme s'élevant à 280 francs par an[41]. S'y ajoute le salaire de l'instituteur fixé à 2000 francs pour l'année 1880, soit un budget total de 2280 francs que ne couvre que très partiellement le montant de la rétribution scolaire. Chaque parent doit en effet verser 90 centimes par mois et par enfant, en cette période où l'instruction n'est pas encore gratuite. La somme est faible et permet une large scolarisation. Mais en retour la commune doit solliciter l'aide de l'État et du département pour assurer l'entretien de l'école et des maîtres.

La situation de l'école des filles était encore plus déplorable que celle des garçons à la fin du Second Empire, au moment où précisément le ministre Victor Duruy tente d'encourager la scolarisation féminine. « La salle d'école est trop petite pour le nombre des élèves, notait le conseiller général chargé de la question, et sert encore de logement pour l'institutrice[42]. » L'école est alors tenue par une religieuse qui se plaint des conditions dans lesquelles elle est logée, ce qui pousse l'évêché à intervenir, en rappelant les promesses faites par Louis Berthe, le maire de l'époque, de lui proposer un logement convenable[43]. Finalement une solution est trouvée. L'école des filles est abritée dans une salle louée par Hippolyte Tronc, propriétaire d'une maison dans le village où loge également l'institutrice, le tout pour 200 francs[44]. L'institutrice reçoit en outre un traitement de 1 300 francs, ce qui représente pour la mairie une somme totale de 1 500 francs. Cette institutrice, sœur Pellat, appartient à la congrégation enseignante de Saint-Vincent Ferrier. Les enfants de Joachim fréquentent très probablement l'une et l'autre école. Léonie, l'aînée des filles, ne fait pas partie en 1877 des onze élèves qui sont dispensées de la rétribution scolaire parce que leurs parents sont nécessiteux[45]. Mais on peut penser qu'elle a été élève à l'école des filles tandis que ses deux frères se rendaient à l'école des garçons.

Une première série de changements intervient à la rentrée de 1879. Le bail de l'école des filles est renégocié en octobre, la commune ne payant plus que 101 francs par an. Surtout, des mouvements de personnel interviennent. Jean-Pierre Roux quitte les Crottes alors qu'il desservait l'école du chef-lieu et celle du hameau de Saint-Jean. Il aurait dû être remplacé par Joseph Lagier, initialement nommé pour lui succéder, mais qui renonce finalement à ce poste. Jean-Pierre Roux assurait aussi la formation des filles du hameau de Saint-Jean. Il y est remplacé par une jeune institutrice, nommée Alexandrine Brochier, qui perçoit un traitement de 650 francs. Elle ne reste qu'un an, et est remplacée en octobre 1880 par Marie Campo. Roux est aussi remplacé au chef-lieu par Pierre Faure, nommé instituteur de 2ᵉ classe, avec un traitement de 1 200 francs[46]. Des changements interviennent également à l'école des filles du chef-lieu. En août 1880, la municipalité décide de remplacer la religieuse qui desservait l'école par une institutrice laïque. Le maire, Honoré-Auguste Philip, considère, dans son argumentaire, qu'une institutrice laïque « sera mieux en état d'élever les enfants conformément aux principes de notre société civile et aux besoins auxquels les jeunes filles auront un jour à satisfaire comme mères de famille et comme compagnes des labeurs de leurs maris[47] ». La sœur Pellat quitte donc les Crottes ; elle est remplacée par Marie-Louise Gellin, auparavant institutrice à

Barcelonnette qui prend ses fonctions en novembre 1880[48]. Elle touche un traitement de 800 francs. La laïcisation du personnel a ainsi permis de faire une économie, le budget alloué à l'école des filles n'étant plus désormais que de 901 francs[49]. L'effort accompli par la municipalité en faveur de la scolarisation est donc réel, d'autant mieux que la commune a aussi décidé la création d'une bibliothèque municipale[50] et d'une caisse des écoles pour permettre de fournir des livres scolaires aux enfants de familles indigentes[51].

Les lois Ferry accentuent encore un effort qui avait déjà été très intense aux Crottes. L'instruction primaire devient désormais gratuite, obligatoire et laïque, ce qui suppose d'intensifier l'encadrement des élèves, désormais accueillis de six à treize ans, toute l'année, du moins en théorie. Dans les deux écoles du chef-lieu, il y a désormais 60 garçons et 60 filles scolarisés, ce qui conduit à envisager la nomination de deux autres instituteurs, tandis que la commune prévoit de construire un bâtiment pour accueillir les deux écoles[52]. Le terrain choisi se trouve à l'entrée du village du côté de Gap, en dessous de la route nationale, à l'emplacement du Grand Pré appartenant à Joseph Roman[53]. La construction nécessite de contracter un emprunt de douze mille francs auprès de la Caisse des écoles, le budget total étant évalué à 19 000 francs, ce qui est considérable pour une commune dont le budget total s'élève à 27 000 francs, et conduit à envisager une imposition supplémentaire qui s'élève à sept centimes[54]. Le groupe scolaire est achevé en 1885 et présente deux ailes, chacune réservée à une section de l'école, les filles d'un côté, les garçons de l'autre, les instituteurs logeant à l'étage. L'école continue aujourd'hui encore à accueillir les élèves du village, mais elle est désormais mixte. Par ailleurs, outre l'école de Saint-Jean, trois écoles temporaires, établies dans les hameaux du Bois, de la Montagne et de Beauvillard, qui ne recevaient les élèves que l'hiver, deviennent des écoles pérennes pour permettre d'appliquer la loi sur l'obligation du 28 mars 1882[55].

L'œuvre de la République

L'avènement de la République des républicains provoque clairement une rupture. Après neuf ans d'incertitude, la République est définitivement installée en France en janvier 1879. Les monarchistes qui espéraient, depuis la chute du Second Empire en septembre 1870, la restauration de la royauté, ont été battus, d'abord aux élections législatives de 1876, puis de nouveau en 1877 et ensuite aux élections sénatoriales de janvier 1879. Les deux assemblées ayant été conquises par les républicains, le président de la République, le maréchal Mac-Mahon, désigné en septembre 1873 pour préparer la restauration de la monarchie, se retire. Sa démission à la fin du mois de janvier 1879 permet l'élection du républicain Jules Grévy qui appelle immédiatement Waddington à former un gouvernement pleinement républicain, dans lequel Jules Ferry obtient le portefeuille de l'Instruction publique et des Cultes. Les réformes sont immédiates. Au bout de deux ans, Joachim peut en tirer un premier bilan.

> La république a fait de belles choses en 1881. Janvier et février a fait fermer 200 couvents, diminué les curés et évêques d'un tiers. A prohibé les croix aux cimetières et honneurs fantasques. Les religieuses ont été retirées des écoles publiques. Mis le service militaire à 40 mois de présence au corps ; augmenté des pensions militaires, augmenté les gradés, dépensé 10 millions aux forts de Briançon, dépensé 110 mille francs dans le torrent de Vachères pour plantations.
> 4 milliards qu'elle a dépensés en France pour les écoles publiques. Conquis la Tunisie, Sud Afrique avec 60 millions de dépense et peu d'hommes.

De l'œuvre républicaine, Joachim retient plusieurs éléments, à commencer par sa politique anticléricale, faisant allusion à l'application du décret de mars 1880 sur l'interdiction d'enseigner aux congrégations non autorisées, qui a permis, après d'intenses débats, de chasser notamment les jésuites du territoire français. Il évoque également la diminution du traitement des ecclésiastiques, la laïcisation des cimetières, ou encore des écoles publiques, mesure appliquée de façon variable selon les régions, en fonction de la politique de chaque municipalité. Mais on a vu que les Crottes l'avait appliquée immédiatement. Il faut en effet attendre la loi Goblet de 1886 pour que soit envisagée au plan national la laïcisation des écoles publiques. Encore les religieuses resteront-elles dans certaines d'entre elles jusqu'à la guerre de 1914. Après les questions religieuses, viennent les réformes en matière militaire, concernant le service, mais aussi les crédits accordés aux places fortes, dont Briançon, évoquée par Joachim et située à une cinquantaine de kilomètres des Crottes.

Le discours patriotique autour de la défense du territoire et de la conquête de nouveaux espaces coloniaux est pleinement intégré par Joachim qui manifeste en la circonstance des idées proches de celles défendues par les Républicains opportunistes, c'est-à-dire les républicains de gouvernement, incarnés par Jules Ferry, qui ont engagé des réformes, notamment sur l'école, mais sans mettre en application l'intégralité du programme républicain, jugeant que le moment n'était pas opportun de le faire. Ils se sont en revanche ralliés à l'idée de développer l'empire colonial. Joachim évoque notamment la conquête de la Tunisie, devenue protectorat français en 1881. Comme les républicains opportunistes également, il souhaite limiter l'emprise de l'Église sur la société, mais sans être un anticlérical ardent. Il affiche donc un républicanisme tempéré, mais réel.

Joachim se montre aussi attentif aux investissements économiques en faveur du développement régional, conséquence directe du plan Freycinet adopté en juillet 1879 qui a permis de développer le réseau de transport, en favorisant notamment la construction de lignes de chemin de fer secondaires, à l'exemple de celle qui relie Savines à Barcelonnette, l'un des 181 tronçons prévus par le plan[56]. L'actualité est l'arrivée de la ligne Gap-Briançon qui doit passer par Embrun, suivant, comme la route nationale, la vallée de la Durance. Joachim, attentif à la progression des chemins de fer, exprime aussi les réticences d'une paysannerie que l'arrivée du train bouscule :

> Le tracé du chemin de fer a été commencé en 1879 et la ligne commencée en 1881. Grandes pétitions ont été faites par les Embrunais pour avoir la gare à Embrun. La compagnie voulait la faire passer sur notre digue de la Durance. C'est un malheur pour les propriétaires du village. 4 août 1881.

La construction de la ligne Gap-Briançon a été confiée à la compagnie PLM (Paris-Lyon-Marseille) qui a trouvé un accord avec les autorités militaires afin de bénéficier d'un terrain de 3 hectares nécessaire à l'établissement de la ligne, mais surtout à la construction de la gare. L'accord du 27 juillet 1879 prévoit aussi la destruction des remparts qui ne sont plus désormais utiles à la défense de la ville. La destruction des remparts d'Embrun marque les esprits. « Il y a 6 mois que l'on a commencé à démolir les remparts à Embrun. Trouvé des caveaux dans terre avec des ossements », note Joachim, attentif à la résurgence de traces du passé. En quelques mots, il fait s'entrechoquer deux mondes, le monde moderne incarné par le chemin de fer et le monde ancien symbolisé par ces restes humains que le progrès vient exhumer. C'est une transformation profonde du paysage, même si la ville d'Embrun, juchée sur son promontoire rocheux, continue de dominer la vallée, avec en son sommet la cathédrale jadis siège d'un archevêché. « Le chemin de fer est bientôt terminé. Les ponts sont tous faits et les remparts d'Embrun seront bientôt rasés», conclut Joachim. Aux Crottes, la construction s'est traduite par la présence d'ouvriers d'origine piémontaise, mais a aussi entraîné des effets financiers. La commune a ainsi permis l'installation de cabanes pour le chantier, moyennant une redevance annuelle de 50 centimes par mètre carré occupé. Elle a autorisé l'entreprise Orizet, chargée des travaux, à prélever des pierres dans le cône de Boscodon : 500 mètres cubes de pierres y ont été retirés pour une somme de 250 francs[57]. La construction du chemin de fer a nécessairement marqué les esprits tant elle bouleverse le paysage. Cette ligne que Joachim voit prendre forme est l'aboutissement du rapprochement entre la France et le royaume de Piémont-Sardaigne en 1859, qui a conduit à l'unification de l'Italie en 1860, à la suite de la défaite des Autrichiens face aux Français et aux Piémontais. Mais la construction se fait par étapes. La liaison vers Gap avait été décidée en 1863. La construction de la ligne Gap-Briançon est entérinée en 1875. Elle débute en 1879. En 1883, Gap est relié à Montdauphin-Guillestre, l'année suivante à Briançon. La liaison Embrun-Gap ouvre une voie d'accès directe vers Marseille, accélérant le flux migratoire déjà élevé dans les années précédentes, et favorise le désenclavement de la région.

Aux Crottes, ce plan s'accompagne de l'aménagement des chemins vicinaux, afin de permettre une meilleure desserte de la route nationale. L'effort est particulièrement soutenu à partir de 1879, conduisant le conseil municipal à voter un supplément de traitement de cent francs au cantonnier[58]. Cet effort anticipe donc la loi du 12 mars 1880 sur les chemins vicinaux qui pousse la commune à prolonger les aménagements déjà opérés en favorisant les chemins existants, notamment ceux desservant la route nationale et le chemin conduisant au hameau de la Montagne[59]. Quelque temps plus tard, le conseil municipal vote même en faveur d'un emprunt de 20 000 francs pour effectuer ces travaux. Cet emprunt est effectué auprès de la Caisse des chemins vicinaux pour trente ans, à un taux de 4 %[60]. Cette décision provoque les foudres de Joachim : « La commune a fait un emprunt qui passera par les mains du maire Philip et nous serons ruinés. 25 mille je crois. Malheur nous n'aurons que les sous et les pièces seront pour eux. » Il fait allusion à la décision du conseil d'établir une imposition exceptionnelle de douze centimes supplémentaires. Ce conseil municipal exceptionnel a réuni les plus gros contribuables de la commune, dont Joseph Roman et Hippolyte Chevalier, chez qui Joachim travaille régulièrement et avec lesquels il a sans doute échangé sur le sujet.

CHAPITRE VI

LA SEXUALITÉ VUE PAR JOACHIM

Sachant qu'il ne sera pas lu avant sa mort, Joachim n'hésite pas à livrer ses pensées sur des sujets dont on peut penser qu'il ne parle jamais avec ses contemporains. La manière dont les Français du peuple vivent leur sexualité reste un sujet méconnu[1]. Les témoignages directs sont rares, signe que dans une société encore dominée par l'Église, le sexe reste une question taboue, d'où l'intérêt des remarques de Joachim.

Le choc de l'infanticide

Joachim Martin reste profondément marqué, pour ne pas dire traumatisé, par une scène dont il a été le témoin douze ans plus tôt, à la veille de son mariage :

En 1868 je passais à minuit devant la porte d'une écurie. J'entendis des gémissements. C'était la concubine d'un de mes

121

LE PLANCHER DE JOACHIM

grands camarades qu'elle accouchait. Ils ont vécu 10 à 11 ans
[*ill.*] de cochon. Elle est accouchée de 6 enfants dont 4 sont
enterrés au dit écurie de 1 de mort (garçon) et la fille est en
vie du même âge que ma fille. Je te dirai qu'il le lui a reproché
en public.

La confusion du propos s'explique par la nature de la
scène à laquelle il a assisté, un accouchement clandestin,
suivi d'un infanticide, commis non par la mère elle-même,
cas le plus fréquent, mais par son concubin, cet ami d'enfance de Joachim sur lequel il revient à plusieurs reprises,
le désignant sans ambages comme un criminel. L'aveu est
cependant confié au seul plancher et ne donnera lieu à
aucune poursuite judiciaire, seul moyen de connaître
habituellement de tels faits[2]. Le criminel ainsi désigné est
comparé aux grands assassins contemporains :

Le vrai disciple de Troppman acolyte de Dumollard et Vitalis
a essayé plusieurs fois de brouiller notre ménage et pourtant
je n'avais qu'à dire un mot et allonger le doigt droit à l'écurie
tout en détention. Eh bien non, c'est mon ami d'enfance, je
ne le ferai pas, sa mère est la maîtresse de mon père.

En quelques mots, Joachim Martin éclaire des liens
aux contours beaucoup plus complexes que l'image tradi-
tionnelle des familles rurales françaises. Cet homme qu'il
désigne comme un criminel, appartient presque à sa
famille ; il est non seulement son « ami d'enfance », mais
en quelque sorte aussi son demi-frère, du fait des liens
entretenus entre leurs deux parents. Les solidarités de
clan jouent. Elles n'enlèvent rien à l'horreur ressentie par
Joachim qui voudrait sans doute s'en défaire. C'est l'une

des raisons du recours à l'écriture. Il peut alors paraître étonnant qu'il compare son «ami d'enfance», que nous tenterons d'identifier dans un instant, à trois des assassins qui ont défrayé la chronique judiciaire depuis vingt ans, signe que ces affaires marquent davantage l'opinion que les changements politiques.

Mais revenons d'abord à cet ami d'enfance, mis en cause pour infanticides, et comparé à Dumollard, Troppmann et Vitalis. Les trois affaires s'étalent sur quinze ans : Dumollard est jugé en 1862, Troppmann en 1869, Vitalis en 1877. Joachim désigne trois criminels ayant beaucoup fait parler d'eux, après avoir commis des crimes odieux. Mais il choisit aussi trois assassins qui ont cherché à faire disparaître les corps de leurs victimes, soit en les enterrant, comme Dumollard ou Troppmann, soit en les découpant comme Vitalis. C'est le mode opératoire de la dissimulation qui le fascine, lui qui désigne sa cible comme ayant non seulement tué ses enfants mais comme les ayant enterrés dans l'écurie. Il dénonce cet enfouissement qui est aussi un refus d'identification. Le crime dont il accuse son «ami d'enfance» est l'assassinat de quatre de ses enfants. Mais la charge est d'autant plus forte que l'homme en question ne cesse de convoiter la propre femme du menuisier. Et pour couronner le tout, sa mère a été la maîtresse de son père, veuf depuis 1868. Ainsi se nouent les solidarités villageoises et s'explique le mutisme de la société. Et à nouveau, sa colère s'exprime :

> Ce traître persiste à se ruiner en fanfaronnades et à vêtir sa femelle de 1 m 30 de haut pour donner le remords au cœur de

ma moitié, mais peines inutiles, je sais souffrir et me taire. Je parlerai après sa mort si je survis. Nous sommes heureux mais lui ne fera qu'un scélérat toute sa vie. Pauvre Hortense si belle à 18 ans te voilà vieillie dans le chagrin par ce maudit Benjamin *Baland**.

Ainsi Martin finit-il par nommer sa bête noire. Il s'appelle Aimé-Benjamin *Baland*. Il est né le 1er mai 1843, et est donc plus jeune que Joachim d'un an, mais les deux garçons ont grandi ensemble. Fils de Jean Alexis *Baland*, né lui-même au hameau du Poët le 15 février 1809 de Joseph Étienne et Marie *Baland*, il épouse à 34 ans, le 19 avril 1877, Marie-Rose Élisabeth *Imbert*, alors âgée de 26 ans. Ce mariage provoque le départ vers Marseille de sa concubine, qui laisse aux Crottes son seul enfant survivant :

> Quelques mois après le mariage de ce criminel, la cruelle concubine délaissée est partie pour Marseille laissant son enfant à son père sans autres nouvelles. Son père ayant une femme infirme et fossoyeur de son métier a pu faire disparaître les ossements de l'endroit. Ce despote a eu le courage de demander la main de ma femme la veille de notre union, lendemain du jour fatal... de l'écurie (horreur mon cœur se soulève).

Le concubinage évoqué aurait donc duré jusqu'à cette date, très rapprochée du moment où le narrateur relate les faits. Joachim ne cite pas de nom, mais donne suffisamment d'indices pour permettre d'identifier chaque

---

* L'affaire décrite ici par Joachim Martin n'a jamais été jugée. Il a été décidé, par respect pour la vie privée, de modifier les noms des protagonistes. Les noms modifiés sont en italiques. Tous les éléments vérifiables les concernant sont justes.

individu. Ainsi la jeune femme, concubine d'Aimé Benjamin *Baland*, prénommée Hortense s'appelle Hortense *Brun*. Elle a trente ans en 1872, mais son acte de naissance n'a pu être retrouvé. Ses parents en revanche sont clairement identifiés. Son père, Michel *Brun*, est né aux Orres, commune de montagne située dans la haute vallée de la Vachère et séparée des Crottes par l'arrête de la Mazelière. Il y est cultivateur au moment où il épouse aux Crottes, le 28 février 1839, Marie-Suzanne, née au hameau du Bois, sur la commune des Crottes, le 25 février 1812. Michel *Brun* est également le fossoyeur des Crottes, comme le confirme son acte de décès, autre indice qui permet d'identifier la famille évoquée par Joachim. Hortense vit avec ses parents et aide son père dans les travaux agricoles. Restée célibataire, elle met au monde, le 27 juillet 1872 une fille, prénommée Marie-Louise. La déclaration en mairie est faite par Aimé-Benjamin *Baland* qui assure être le père de l'enfant, mais ne la reconnaît pas. Marie-Louise est donc considérée comme une enfant naturelle et prend le nom de sa mère. On perd sa trace après le décès de son grand-père, survenu le 9 mai 1881.

Les familles Martin, *Baland* et *Brun* vivent dans le même quartier du chef-lieu des Crottes, leurs maisons sont voisines, ce qui explique que le père de Joachim, Jean-Joseph, soit le témoin sollicité par Aimé-Benjamin lors de la déclaration de naissance de sa fille en 1872. Ce même Aimé-Benjamin est aussi l'un des deux témoins déclarant le décès de Michel *Brun* en 1881. Cette proximité rend vraisemblable le fait que Joachim ait pu voir ce qui se passait dans l'écurie de la famille, comme il le raconte. Elle a aussi facilité la rencontre entre Jean-Joseph Martin et la mère d'Aimé-Benjamin. « Sa mère est la maîtresse de mon père » écrit en effet Joachim. La mère de Aimé-Benjamin *Baland* s'appelle Marie-Appolonie. Lorsqu'elle naît aux Crottes le 9 décembre 1823, son père, Honoré, cultivateur, a 66 ans. Le 9 février 1839, Marie-Appolonie épouse, alors qu'elle n'a que quinze ans, Jean Alexis *Baland*, de quinze ans son aîné, déjà installé comme cultivateur aux Crottes. Aimé-Benjamin est l'aîné de trois enfants ; il est né quatre ans après le mariage de ses parents dont rien ne laisse supposer les raisons de la précocité, sinon la volonté de sa mère de quitter un père alors âgé de 83 ans, alors que sa mère vient de mourir. Naissent ensuite Julien Marius le 20 janvier 1846, décédé le 24 avril 1847, Marie Philomène Polonie le 4 avril 1851, décédée le 4 septembre 1851, puis Louis Napoléon, le 23 novembre 1853 – le choix du prénom quelques mois après la proclamation de l'empire ne laissant guère de doute sur l'attachement des parents au nouveau régime –, et enfin une fille prénommée Louise. Le mari de Marie-Appolonie est toujours en vie quand elle devient la maîtresse du père de Joachim. Il meurt en effet le 24 mai 1882, la déclaration de décès étant effectuée par son fils Aimé-Benjamin et par son pire ennemi, Joachim Martin. Quant à Marie-Appolonie, elle meurt le 2 janvier 1900.

Cette imbrication entre accusations d'infanticides et dénonciations de rapports extraconjugaux au sein de sa propre famille plante le décor dans lequel Joachim se débat. Les infanticides ne sont malheureusement pas rares dans une société rurale qui ignore encore assez largement la contraception. Il demeure l'un des modes de régulation des naissances et se pratique particulièrement dans le cadre de couples non mariés. La communauté fait silence sur ces événements. Le témoignage de Joachim laisse penser qu'il n'était pas le seul à connaître les faits. Comment imaginer que, dans une société aussi cloisonnée, quatre grossesses d'une jeune célibataire aient pu passer inaperçues ? Mais comme Joachim, les habitants du village se sont tus. De fait, les actions en justice contre des infanticides sont relativement rares, mais pas inexistantes. En 1837, la presse nationale s'est fait l'écho d'un inceste suivi d'un infanticide commis par Dominique Pelleautier, fermier à Vitrolles, qui fut condamné à mort par la cour d'assises des Hautes-Alpes. Accompagné dans ses derniers instants par l'abbé Lagier, devenu son confesseur, il reçut dans sa prison la visite de Mgr de Mazenod, fondateur de la congrégation des oblats de Marie Immaculée, qui contribue à faire connaître son retour à une vie chrétienne. Il n'en est pas moins guillotiné le 16 août 1837[3]. Joachim n'était pas né à cette époque. En revanche, il est fort possible qu'il ait eu connaissance du procès qui s'est ouvert à Gap en juin 1879. Comparaissait alors devant la cour d'assises des Hautes-Alpes Jeudi Antoinette Bernard, dite Judith, accusée d'infanticides. Âgée de 29 ans, originaire de Sauze, dans l'arrondissement d'Embrun, elle était née le 24 janvier 1850 de Michel Bernard, propriétaire cultivateur, et d'Éléonore Masse[4]. Et comme Hortense *Brun*, elle n'a pas directement tué ses enfants. Elle est en revanche accusée d'avoir participé à l'assassinat de trois d'entre eux en 1873, 1875 ou 1876 et 1879[5]. La similitude des faits avec ceux que dénonce Joachim est frappante. Se serait-il laissé impressionner par un compte rendu de procès lu dans la presse ou plus vraisemblablement la lecture de ce jugement n'aurait-il pas fait remonter à la surface de vieux souvenirs ? Judith Bernard a été condamnée à 20 ans de travaux forcés.

La sexualité au confessionnal

Si l'histoire de ces infanticides peut paraître exception-nelle, il n'en demeure pas moins que le récit de Joachim Martin montre aussi une société villageoise refusant en partie les normes et codes que voudraient lui imposer la société et l'Église, tout en s'offusquant des déviances. Le menuisier ne va pas jusqu'à faire des confidences sur sa propre sexualité, sauf à préciser que sa femme était vierge quand il l'a connue. Il s'attarde en revanche sur les pratiques sexuelles de ses contemporains, notamment à travers le récit qu'il fait à Joseph Roman des questions posées par le curé du village lorsqu'il reçoit ses parois-siennes au confessionnal. La confession est l'un des moments privilégiés de la vie religieuse pour les catho-liques. Elle suppose un contact direct entre le prêtre et le pénitent, dans un lieu fermé, avec promesse que les révé-lations faites au curé seront gardées secrètes. La confession est indispensable pour pouvoir communier, ce qui explique que, dans un village où la pratique est d'abord féminine, ce sont les femmes qui sont les principales témoins du comportement du curé[6]. Le témoignage de Joachim sous les planches est indirect; il retranscrit les propos qu'aurait entendus sa femme au confessionnal :

> D'abord je lui trouve un grand défaut de trop s'occuper des ménages, de la manière que l'on baise sa femme. Combien de fois par mois, si on la saute, si on fait levrette, si on l'encule, enfin je ne sais combien de choses qu'il a demandées et défendu à toutes les femmes du quartier. De quel droit misérable. Qu'on le pende ce cochon. Mr n'a pu le croire !

Martin traduit en termes crus les questions posées par le confesseur afin de s'assurer que ses paroissiennes n'ont pas laissé se commettre le crime d'Onan, tout moyen employé pour éviter la procréation étant traqué par le clergé. La forme de ce questionnaire varie d'un prêtre à l'autre, mais est bel et bien inscrit dans les traités de théologie morale[7]. Joachim montre par ailleurs qu'il n'est pas un anticlérical virulent, mais il exprime ici le refus de la tutelle du clergé en matière sexuelle, tutelle de plus en plus mise en cause depuis le début du siècle, ce qui explique le déclin de la pratique religieuse masculine. Les enquêtes sur la vie privée, menées à l'intérieur du confessionnal, deviennent alors l'un des ressorts de l'anticléricalisme de même qu'est dénoncée l'influence qu'exerce le prêtre sur les femmes[8]. La réaction de Joachim est d'autant plus vive qu'il soupçonne l'abbé Lagier d'aimer un peu trop ses paroissiennes : « M'a plutôt l'air d'un gai luron de ce qu'il est faisant de grandes révérences aux femmes et les pauvres maris cocus sont obligés de se taire parce qu'il est médecin.» Martin éclaire une autre forme du mutisme de ces sociétés villageoises, encore une fois appuyée sur des formes de solidarité et d'entraide. Il faut naturellement faire la part de la rumeur, voire des fantasmes d'un homme travaillant seul dans les grandes pièces du château mais ses propos sont corroborés par d'autres sources, dont une lettre de Joachim lui-même. Il n'est pas le seul à avoir dénoncé la manière dont le curé du village tentait d'abuser de sa position au confessionnal. En 1884, plusieurs paroissiens se sont unis pour obtenir son départ. Dans les lettres qu'ils écrivent aux autorités, ils évoquent régulièrement la manière dont le prêtre cherche à dominer les femmes qu'il reçoit en confession. Baptiste Didier est le plus modéré dans ses propos :

> En 1883 après Pâques, M. le curé des Crottes entretient ma femme en confession, lui disant qu'elle n'eût pas peur de me quereller, de me faire passer sous ses ordres et de n'avoir pas peur de se mettre en désunion avec moi. Là où il ne peut pas dominer, il cherche à mettre le désordre dans les familles.

Didier reste discret, mais il y a fort à parier que le curé cherchait à faire comprendre à sa femme qu'elle ne devait pas le laisser avoir recours à des pratiques sexuelles conduisant au contrôle des naissances, à commencer par le coït interrompu.

Joachim a lui aussi des griefs à l'encontre du confesseur Lagier, laissant entendre dans une lettre au préfet des Hautes-Alpes, que le curé des Crottes aurait fait des avances à sa femme, provoquant la rupture entre cette dernière et l'Église :

> La Noël 1881 appela la femme au confessionnal où il y eut un véritable scandale dans l'église. Ce récalcitrant envoya appeler la femme plusieurs fois sans rien obtenir. Depuis cette époque, la femme n'a plus remis les pieds à l'église et les enfants très peu. Je n'ai pu savoir ce qui s'était passé, mais je commence à entrer dans un état d'exaltation. Je puis vous dire encore que c'est un être révoltant, colère, qui approche de la brute ; il est venu deux fois chez moi me mettre le poing sous le nez et dire s'il en valait la peine. Ce n'est pas difficile de tenir de tels propos à un homme à qui l'on a ôté la main droite[9].

La scène décrite par Joachim se serait donc passée peu de temps après la pose des parquets au château de Picomtal. Joachim ne va pas jusqu'à révéler ce que le prêtre exigeait de sa femme, peut-être parce qu'elle-même n'a pas voulu l'exprimer de manière audible, mais tout laisse à penser que les demandes avaient un caractère sexuel.

Les relations extraconjugales

Toujours à l'affût des entorses à la morale chrétienne, Joachim observe avec curiosité les mœurs de ses contemporains. Il a un avantage sur les autres habitants, puisqu'il travaille pour l'essentiel à l'intérieur des maisons. Il est un des rares à pouvoir franchir le pas de la porte de ses voisins pour y effectuer quelques travaux. Et sa présence y est parfois prolongée. Il peut ainsi capter des scènes destinées à rester dans le secret de l'alcôve. Après avoir évoqué les liaisons adultérines entretenues par l'ancien maire Louis Berthe avec sa maîtresse, Marguerite Philip, ou par son propre père, amant de sa voisine, Marie-Appolonie *Baland*, il s'attarde sur une autre famille, habitant la ferme de Picomtal, la famille Ange :

Le père Ange fermier a 4 enfants : 2 garçons et 2 filles. L'aîné des garçons travaille avec eux et a pris femme à Pontis. Petitonne assez gentille. Il y a deux ans que Fredo lui a fait la commission dans la serre à fleur. J'y ai marqué le jour et au bout de 9 mois résultat d'un beau garçon né brun et le fils Ange est roux.

La curiosité de Joachim se confirme. Il est vrai que depuis le premier étage du château où il effectue la pose du plancher, il dispose d'un point de vue particulièrement bien orienté pour observer ce qui se passe alentour. Son propos mérite toutefois quelques éclaircissements. La famille Ange s'est installée à la fin des années 1870 dans la ferme attenante au château de Picomtal. Elle comprend alors deux générations. Le père, qualifié de fermier par Joachim, Jean-Jacques Ange, est né à Embrun en 1813, et a épousé en 1839, Adélaïde Escalier dont Joachim connaît par ailleurs bien la famille, originaire du village voisin de Puy-Sanières. Il y fait une allusion directe sous l'une des planches du parquet :

La mère Escalier, belle-mère du fermier, a 95 ans. Elle coud, elle parle, elle y entend et des yeux comme une fille de 18 ans. Chose curieuse, peut-être qu'elle pourrait encore donner des leçons de volupté. Mère de 4 garçons et 3 filles élevées à Chadenas chez le père Vigne tout gros et beaux enfants.

À nouveau, Joachim se place sur le registre de la sexualité pour évoquer une femme âgée, même s'il la vieillit quelque peu. Née en juillet 1797, Adélaïde Blanc n'a que 83 ans en 1880. Mais c'est incontestablement une forte femme qui, après son mariage avec Joseph Escalier en décembre 1817 à La Bastide Neuve dont elle est originaire, a enchaîné les grossesses, mettant au monde entre 1818 et 1840, treize enfants dont deux morts en bas âge. Joachim n'a visiblement connu qu'une partie de la fratrie, sans doute les derniers nés. C'est à l'occasion de travaux menés sur le domaine de Chadenas qu'il a eu l'occasion de les rencontrer. La famille Escalier exploite en effet depuis le début du siècle la ferme de Chadenas, propriété de l'hospice d'Embrun. C'est donc sa deuxième fille, Adélaïde, née le 3 septembre 1820 à Puy-Sanier, qui épouse en 1839 Jean Jacques Ange.

La famille Ange a longtemps vécu à Embrun, au hameau du Petit Puy, où Jean Jacques est qualifié de propriétaire cultivateur. Elle compte six enfants en 1866. Désiré est le plus âgé. Il se prénomme en fait, selon l'état civil, Louis Joseph, mais est couramment appelé Désiré et apparaît comme tel sur les recensements. Il naît le 23 avril 1843 à Embrun où il épouse en 1872 Angéline Taillet, dont Joachim nous dit qu'elle vient de Pontis. Ce village est limitrophe des Crottes, mais il est situé dans les Basses-Alpes. Angéline Taillet y est arrivée en 1858, à l'âge de cinq ans quand sa mère, Suzanne Fache, veuve depuis 1855, est venue épouser à Pontis Pierre Chevalier, lui-même veuf de Marie Béraud. Angéline a donc à peine connu son père, Pierre Taillet, mort quand elle avait deux ans, le 10 avril 1855. Elle grandit à Pontis, en compagnie d'une demi-sœur, prénommée Léonie, de sept ans sa cadette. Au moment de son mariage avec le fils Ange, la mère d'Angéline vient de mourir, le 2 janvier 1872. Après leur mariage, Désiré et Angéline Ange s'installent à Baratier comme fermiers. C'est là que naît, le 18 janvier 1874, leur première fille, Émilie Angéline. Vient ensuite Désiré, né en 1877, dont on ignore la date exacte et le lieu de naissance et qui meurt vraisemblablement avant 20 ans. C'est peu après sa naissance que Désiré Ange rejoint, avec sa famille, son père à la ferme de Picomtal.

Mais qui est Fredo, ce jeune homme qui aurait séduit Angéline Ange ? Joachim Martin désigne en fait par ce diminutif Chiafredo Priotti, un jeune piémontais, né à Campiglione, dans le canton de Pignerol, en Piémont. Il est arrivé sur la commune des Crottes en 1875 et a été embauché peu après comme domestique au château de Picomtal. Il serait, selon Joachim, le père adultérin d'Edmond Noël Ange, né le 2 février 1879 et déclaré comme le fils de Désiré Ange, cultivateur, et d'Angéline Taillet, ménagère, «enfant né dans la maison de Monsieur Roman rentier au château des Crottes[10]». Le conseil de révision confirme qu'Edmond Noël a les cheveux et les sourcils noirs, mais les yeux roux. Il participe à la Grande Guerre, combat contre l'Allemagne d'octobre 1914 à janvier 1917, puis à l'armée d'Orient, d'où il rentre malade du paludisme. Accueilli quelques mois à l'hôpital d'Embrun, il reprend du service en août 1918 et termine décoré de la croix de guerre, avant de rentrer aux Crottes.

Au lendemain de sa naissance, son père présumé obtient une installation en bonne et due forme à la ferme du château de Picomtal qu'il partage désormais avec la famille Ange, ce qui fait dire à Joachim, dans un propos confus, qu'ainsi se forme un ménage à trois. La date qu'il indique est celle de la conception de l'enfant :

> Fredo prendra la ferme à la moitié avec le fils Ange ainé donc que Fredo aura 2 femmes un bénet, et l'autre n'aura que les peines d'être père à la mairie et église et se trouve ici bienheureux d'être cornu par un homme qui le fait boire le dimanche. Tu trouveras cette date à gauche de l'atelier 21 juin 1878 conjoncture de deux mortels à ce jour au château.

Notre jeune Piémontais épouse ensuite le 22 avril 1880 Marie Augustine Hermite. Son nom est désormais francisé par l'état civil qui le désigne comme Chaffrey Priot, Chaffrey étant la manière de désigner dans le Queyras saint Chiafredo, un saint piémontais du XVIe siècle, très populaire en Piémont mais aussi dans les Alpes françaises. Pour ses voisins, dont Joachim, il demeure tout simplement Fredo. C'est du reste ainsi qu'il signe. Peu après son mariage, il quitte le château pour s'installer comme cultivateur sur l'une des fermes qui en dépend. Ce que ne peut alors savoir Joachim, c'est que Fredo sera tout aussi empressé auprès de sa femme qu'il l'avait été avec sa voisine. Neuf enfants naissent de leur mariage, entre 1881 et 1900, les deux aînés mourant en bas âge. Le troisième, Alfred Antoine, né le 14 juillet 1883, s'engage dans l'armée en 1903 alors qu'il était boucher et sert jusqu'en 1910 atteignant le grade de maréchal des logis. Il est ensuite affecté dans l'administration des chemins de fer comme facteur, puis mobilisé en 1914. À la sortie de la guerre, il retrouve son emploi dans les chemins de fer, ce qui explique son affectation à Gisors, avant de retrouver les Hautes-Alpes en 1931[11]. Louis Joseph, né le 15 novembre 1885, charcutier au moment du conseil de révision, fait son service militaire dans l'artillerie mais meurt aux Crottes, quelques jours après avoir été libéré, le 5 octobre 1908[12]. Émilien Aimé, né le 2 juin 1889, est charcutier à Marseille au moment de son incorporation au sein du bataillon des chasseurs à pied où il effectue son service militaire de 1910 à 1912. Mobilisé en 1914, il est envoyé au front et se signale par sa bravoure, ce qui lui vaut la croix de guerre. Il est victime de la grippe espagnole et meurt chez l'une de ses deux sœurs à Marseille le 30 décembre 1918 alors qu'il était en permission[13]. Le dernier de la fratrie, Auguste Antoine, né le 11 février 1900, travaillait sur l'exploitation familiale aux Crottes au moment de son incorporation au sein de la 14e section des infirmiers militaires où il effectue deux ans de service. Revenu aux Crottes en 1922, il s'installe à Marseille deux ans plus tard, et s'y trouve toujours lors de la mobilisation de 1939. Il est démobilisé le 15 juillet 1940[14].

La famille Ange et la famille Priotti n'ont pas voisiné très longtemps. On ignore les raisons de leur séparation mais on peut imaginer que la relation adultérine entretenue entre Angéline et Fredo n'a pas contribué à l'harmonie des deux couples. Quoi qu'il en soit, au milieu des années 1880, la famille Ange quitte les Crottes pour s'installer à Baratier, où Désiré est signalé comme domestique de Pierre Rougon[15]. En octobre 1886, naît Jean-Baptiste Émilien Ange. Ses parents s'installent comme fermiers et restent à Baratier jusqu'au début du XXe siècle, avant de regagner les Crottes après la mort des grands-parents paternels en 1901. Adélaïde s'est éteinte aux Crottes le 25 mars 1901. Le patriarche, Jean-Jacques Ange, part alors s'installer à Embrun où il décède, le 14 août 1901, dans la maison de l'hôtel de ville. Comme son frère Edmond Noël, Jean-Baptiste Émilien Ange, qui travaille à la ferme avec ses parents, participe à la Grande Guerre, dans l'artillerie. Il en revient en vie, mais pour mourir peu après, aux Crottes, le 25 septembre 1920. Sa mère, Angéline, l'ancienne maîtresse de Fredo selon Joachim, l'a précédé dans la tombe, le 29 octobre 1918. Son père, Désiré Ange, meurt également aux Crottes, le 29 juillet 1921.

Soupçons de pédophilie

La sexualité de ses contemporains intéresse manifestement Joachim, surtout lorsque leurs pratiques sexuelles comportent quelque forme déviante. Il vise ainsi le cadet des frères Michel, en deux interventions qui se complètent. Dans la première, on peut lire :

«J'oubliais de te dire que Michel de Picomtal, celui qui a brûlé, a un frère à Arles. Je te dirai ce qui l'a fait décamper du pays des Crottes.» Le mystère reste alors entier sur ce qui a pu conduire à ce départ, mais l'individu a pu être identifié. Joseph Michel, dont la maison a brûlé en 1879 comme on l'a vu précédemment, n'a eu qu'un frère, prénommé *François*, de dix ans son cadet, puisque né le 22 novembre 1841. Il est de ce fait un quasi contemporain de Joachim. Après la mort de son père, *François* vit chez l'un de ses oncles, célibataire, celui-là même que Joachim soupçonne d'avoir provoqué l'incendie de la maison de son neveu. Il figure en tout cas sur le recensement de 1866 sous le même toit que lui, avec la mention erronée d'être son fils. Le départ vers Arles est donc intervenu ensuite, entre 1866 et 1880, sans qu'il soit possible d'en déterminer la date. Mais la raison est sans doute à rechercher dans les comportements particuliers de *François* Michel, du moins tels que les rapporte Joachim :

> Le cadet Michel de Picomtal avait la triste passion de se faire têter le nœud ou les tétons car il en avait comme une fille et beaucoup de lait. Il lui arrivait assez souvent de têter ses camarades et de faire minette aux filles d'une dizaine d'années. Une fois comme il est sorti d'ici.

François est sans doute atteint d'un déséquilibre hormonal qui a provoqué chez lui une gynécomastie, liée à un excès d'œstrogènes, qui aurait conduit aussi dans son cas à une galactorrhée, à savoir une production de lait continue. Cette particularité physique est perçue dans le village des Crottes comme une anomalie et intrigue les autres habitants. Joachim l'accuse d'une attirance pour les enfants, notamment les petites filles, auxquelles il ferait «minette», c'est-à-dire en argot qu'il pratiquerait sur elle des cunnilingus. Cette attirance pour les enfants est un élément supplémentaire ayant dû conduire à son éviction du groupe. Mais aucune plainte ou action en justice ne permet de confirmer cette hypothèse. Comme souvent, une chape de plomb s'abat sur ces comportements. *François* serait parti en direction du sud, mais l'on perd alors sa trace. En tout cas, il n'est pas mort à Arles s'il y est un jour arrivé.

Allant d'une maison à l'autre, tout en partageant le quotidien des paysans, Joachim Martin est un observateur privilégié des mœurs de son temps et des formes de transgression des cadres de la vie en société. Son témoignage permet de percevoir une sexualité au quotidien. Il dénonce aussi des crimes qui ne sont pas pénalisés et qui sont donc implicitement tolérés par la communauté : sauf en matière de pédophilie, ils ne donnent lieu ni à sanction ni à réprobation systématique[16].

CHAPITRE VII

L'ESPACE ET LE TEMPS

Joachim Martin apporte des éléments de réponses à l'une des questions lancinantes que se posent les historiens s'intéressant aux gens du peuple. Quelle était leur perception de leur environnement immédiat, quel était leur rapport au passé et partant leur vision de l'avenir ?

De la Durance aux horizons lointains

Il faut naturellement éviter d'extrapoler à partir d'un matériau écrit qui n'est sans doute, redisons-le, que la face immergée de traces plus nombreuses. Il est toutefois significatif que Joachim n'évoque jamais ou presque la montagne qui l'entoure. Il y fait deux allusions. Il mentionne le hameau de Saint-Jean, le cœur originel du village des Crottes. Il évoque aussi les montagnes, en août 1881, pour déplorer la sécheresse qui y règne. Mais des sommets qui l'entourent, de la neige qui les recouvre au cœur de l'hiver et souvent très en avant dans la saison, de la difficulté à se déplacer entre les différents espaces constituant le pays d'Embrun, il ne dit rien. Pourtant, depuis sa maison au cœur du village des Crottes, et surtout depuis le château de Picomtal, la montagne ne peut lui échapper. Imaginons Joachim montant à pied du village vers le château alors que le soleil vient de se lever. Face à lui, en cette période estivale pendant laquelle il effectue les travaux, il voit d'abord apparaître le versant nord de la montagne. Sur la rive gauche de la Durance, à l'endroit où s'est implanté le village, il y a un glacis inondable, mais propice à l'implantation de prairies naturelles où vont paître les bêtes au printemps et à l'automne. Le village est construit sur ce replat, mais empiète aussi sur le flanc de la montagne. Il est entouré de terres agricoles qui n'ont cessé de progresser au détriment de la forêt. À flanc de montagne, Joachim peut voir apparaître plusieurs hameaux ou écarts parfaitement visibles du village. Au loin, le hameau de Saint-Jean, le plus important de la commune, auquel on accède par un chemin qui part du centre du village. Au total ce sont six chemins qui, du chef-lieu, desservent les différents écarts du village des Crottes.

Une fois parvenu au château, Joachim fait une pause devant l'entrée. Il est alors sur la terrasse d'où il domine le village en contrebas. Il distingue parfaitement le clocher et le chevet de l'église. Au-delà s'impose la Durance et son cours tumultueux. Sur l'autre rive, la montagne plonge directement dans la rivière. Sur la droite, il peut parfaitement distinguer la ville d'Embrun sur son piton rocheux. Elle est encore enserrée dans ses remparts, mais la cathédrale, qui n'est plus alors qu'église paroissiale, se dresse majestueuse au sud de la ville. Face à lui s'étendent les vignes de Chadenas, qu'il évoque dans ses écrits, vaste domaine jadis possession de l'abbaye de Boscodon. Où qu'il porte son regard, au-dessus de l'espace forestier, Joachim peut clairement apercevoir les alpages où plusieurs milliers de moutons paissent pendant cette période estivale.

Ce silence sur son environnement montagneux et forestier n'est pas un hasard. Joachim regarde vers l'aval. Son horizon est d'abord constitué par la Durance, cette rivière impétueuse qui traverse son village après avoir baigné les rives d'Embrun. L'espace qu'il parcourt ou qu'il a parcouru dans sa jeunesse, comme ménétrier, s'étend de Gap à Briançon, en passant par Embrun. Cette vallée de la Durance est aussi cet espace autour duquel se groupent les villages avec lesquels les Crottes sont en relation, ne serait-ce qu'au moment de trouver un promis ou une promise. C'est d'abord Embrun en amont du fleuve. Ce sont aussi les communes voisines de Baratier à l'est et de Savines à l'ouest, ou encore de Puy, de l'autre côté de la rivière. La Durance n'est pas un obstacle, elle se franchit plus aisément que bien des cols des Alpes. La vallée de la Durance trace un sillon au cœur de la montagne. La route nationale qui la longe est le principal moyen de communication avec l'extérieur. C'est aussi la vallée de la Durance que va emprunter le tracé du chemin de fer.

Depuis son village, situé au cœur des Alpes, Joachim a conscience que le monde s'étend au loin. De fait, l'horizon de notre menuisier ne se borne pas aux rives de la Durance ou aux sommets des Alpes. Les liens avec le monde extérieur sont nombreux. Ils sont particulièrement entretenus par les migrants qui chaque année partent des Crottes soit de manière temporaire soit pour toujours, ou y arrivent. Joachim est sensible à ces formes d'exode dont il donne plusieurs exemples qui sont aussi des modèles de réussite sociale. Il souligne ainsi que le maire de Savines, Pavie, a fait fortune en Amérique, pays vers lequel émigre ensuite le propre fils de Joachim, mais aussi Jacques Roman, l'un des fils du châtelain, suivant en cela une filière amorcée par les habitants de Barcelonnette[1]. Il évoque aussi et surtout Marseille, principal lieu de destination des populations des Hautes-Alpes qui, depuis ce port de la Méditerranée, peuvent s'échapper vers le monde. Surtout, Marseille est devenu la destination des migrations saisonnières depuis les Crottes qui, avec la commune voisine de Châteauroux, exerce un véritable monopole sur la corporation des charcutiers. La plupart des charcutiers de Marseille viennent alors des Crottes. Cette forme de migration naguère temporaire se pérennise à la fin du siècle, mais les personnes originaires des Crottes aiment à revenir au pays une fois fortune faite et se font construire des maisons destinées à manifester leur réussite. Elles tranchent, à l'orée du village, par leur style 1900.

Enfin, Joachim voyage aussi par l'intermédiaire de son employeur Joseph Roman qui, en lui racontant ses périples, l'entraîne vers Aix et Paris mais aussi vers l'étranger, en Suisse ou en Italie. Ces récits de voyage que l'on entend en arrière-plan de leurs conversations sont l'occasion de nouvelles expériences esthétiques. Joseph Roman ne se contente pas de raconter. Excellent dessinateur, il montre à Joachim les dessins des œuvres d'art qu'il a copiées, ouvrant ainsi Joachim à d'autres horizons. Ce dernier n'est du reste pas insensible à cette découverte de l'art. Lui qui manie à longueur de journée le crayon est plein de respect pour la châtelaine peignant dans son atelier. Il est en admiration, on l'a vu, devant la bibliothèque de Joseph Roman, remplie de livres reliés, mais aussi devant le petit musée qu'il a installé dans son bureau et dans lequel il a enfermé quelques armes.

Joachim et l'histoire

À certains égards, Joachim Martin est un être exceptionnel par le rapport qu'il entretient au temps. Il est à mille lieues de ces gens simples décrits comme uniquement préoccupés du lendemain, vivant au jour le jour, incapables même de se souvenir de leur date de naissance. Au contraire, Joachim a l'obsession de dater les événements de sa vie. Il n'est pas toujours précis, et pourtant cherche à l'être. C'est l'homme des chiffres. Le menuisier ne peut se permettre de faire une erreur de calcul qui compromettrait la pose de son plancher. Les lattes doivent se rejoindre en une harmonie parfaite, au risque de déséquilibrer l'ensemble. Les inscriptions de 32 planches sur 72 donnent une précision temporelle, soit une date du passé, soit la date du jour, soit une information concernant l'âge de la personne dont il parle. Cette obsession du chiffre est fascinante. Et cela le conduit même à écrire : « J'ai retourné le château et fouillé partout je n'ai pas trouvé une lettre pas un chiffre de mémoire. » Il s'attendait à trouver une date, comme celle que l'on peut lire sur les façades des maisons, indiquant le moment de la construction, ou sur les meubles des ébénistes. Rien de tel au château de Picomtal.

Il a surtout une claire conscience du temps qui passe, de celui qui s'est écoulé depuis qu'il a commencé son activité de menuisier, de celui qui s'étendra avant que l'on ne découvre les messages qu'il a dissimulés sous les parquets du château de Picomtal. Car, il faut y revenir, c'est l'un des enjeux majeurs du dialogue engagé par le menuisier avec ceux qui le liront, l'auteur de ces lignes, mais aussi les lecteurs de ce livre pour lesquels Joachim revit grâce à la magie du truchement opéré entre le personnage qu'il était, soucieux de ne pas demeurer un anonyme, et l'interprète qu'il a trouvé en moi. Il sait en écrivant que seul un lecteur amoureux du passé sera apte à faire revivre son existence et celle du milieu dans lequel il a vécu.

Mais revenons à ses écrits, souvent sommaires, pour comprendre son rapport au passé. Il faut commencer par évoquer à nouveau cette courte liste comprenant des noms propres et des dates, évoqués au moment de parler des maires du village.

Mr Bontoux 1795
Mr Créchi 1810
Mr Ferrary 1820
Mr Berthe 1840 à 1870
Mr Ferrary fils 1870 à 1876
Mr Roman 1876 à 1881

Ainsi, la date la plus reculée qui apparaît sous sa plume est cette référence au milieu de la décennie révolutionnaire. Mais Joachim écrit 1795, selon le calendrier grégorien, et non l'an III, ce qui est symptomatique d'une mémoire qui s'est effacée. De cette mention, on peut déduire que Joachim n'est pas un héritier des jacobins du temps de la Révolution, ce que d'autres allusions politiques confirment. Pourtant, sa conscience politique est réelle et s'enracine au cœur de la Révolution. Une date et un nom, 1795, Mr Bontoux, allusion directe à l'élection comme député des Hautes-Alpes de Paul François Benoît Bontoux qui a siégé au Conseil des Cinq-Cents de 1795 à 1799. Bontoux est un républicain modéré, comme son père, Jean Bontoux, député avant lui à la Convention, qui appartenait au parti des girondins. Il s'est rallié au coup d'État de Brumaire qui a conduit Bonaparte au pouvoir comme la plupart des républicains partisans du Directoire, hostiles à la fois à la renaissance du jacobinisme et au retour en force des royalistes. Joachim se trouve ainsi un parrain en politique, lointain ancêtre des républicains opportunistes dont il partage les options.

François Bontoux devient sous le Consulat et l'Empire président du tribunal de Gap. Il meurt en cette ville le 15 février 1813. La déclaration est notamment faite par son fils, Claude Bruno Benoît Bontoux, dont on sait qu'il acheta le château de Picomtal en 1826[2].

Avec la deuxième association proposée, «Créchi, 1810», on passe du niveau de la représentation départementale au cœur de la Révolution à la gestion communale sous l'Empire. Joachim désigne en effet Sixte François Cressy qui fut maire des Crottes d'octobre 1805 à 1810. Il meurt en charge à l'âge de 45 ans. Mais Joachim ne peut ignorer que Sixte est le fils de François Cressy, ancien lieutenant général civil et criminel, juge royal à Embrun. Il est aussi le frère de Jean François Louis de Cressy qui s'était porté acquéreur du domaine de Picomtal en novembre 1792, devenant le principal notable du village. Ces deux noms de Bontoux et Cressy incarnent les transformations subies par le village sur le plan patrimonial. Pour les habitants des Crottes, la Révolution s'est d'abord traduite par la nationalisation des biens du clergé, nombreux dans ce village dominé par l'abbaye de Boscodon, mais aussi par le changement de propriétaire du domaine de Picomtal. La Révolution s'est ainsi accompagnée de mutations foncières qui ont favorisé le renforcement de la petite propriété paysanne dans le village.

Quant aux Ferrary, déjà évoqués, ils sont à la fois les entrepreneurs ayant travaillé à la restauration du château dans les années vingt, avant de l'acquérir, et les élus d'Embrun, qui assurent en quelque sorte la transition avec Joseph Roman. Joachim comprend aussi dans son énumération Louis Berthe, mentionné ailleurs, qui représente un autre jalon dans la ligne du temps propre à Joachim. Sans doute sa mort subite survenue après la défaite de Sedan et la chute du Second Empire fait-elle écho à celle de Cressy en 1810, à travers des souvenirs racontés par les anciens de la commune à soixante ans de distance, à moins que la mémoire ne s'en soit préservée d'une autre manière. Joachim cite des dates, mais jamais, jusqu'à la République, les régimes qui se sont succédé, ce qui peut signifier qu'il ne les distingue pas aussi clairement que nous le faisons aujourd'hui[3]. Il évoque encore moins les souverains et l'on chercherait en vain sous sa plume les noms de Napoléon Ier ou Napoléon III, a fortiori ceux de Louis XVIII, Charles X ou Louis-Philippe. En fait, un seul nom de dirigeant politique apparaît, et encore de manière indirecte, celui de Gambetta, signe de l'audience sinon de la popularité que le « commis voyageur de la République » a réussi à conquérir dans les campagnes. Il est associé à la figure du maire détestée, Honoré-Auguste Philip, « Gambetta maire ».

Mais la culture historique de Joachim ne se limite pas au XIXe siècle. La seule lettre de lui qui a pu être retrouvée, celle écrite au préfet en 1884 pour dénoncer l'abbé Lagier, comprend aussi des références à caractère historique. « Le nommé Martin Joachim, propriétaire aux Crottes Hautes Alpes se joint aux nombreuses victimes de cet indigne disciple d'Esculape qui non content de faire des maux horribles et terribles aux pauvres malades qui lui tombent sous la main a le double défaut de Néron empereur romain[4].» Esculape est bien sûr le dieu de la médecine dans le panthéon romain. L'usage du nom est courant dans les milieux lettrés, sans doute beaucoup plus rare dans les milieux populaires. Quant à l'empereur romain Néron, Joachim reprend ici la vulgate héritée des écrits de Suétone d'un empereur à la fois empoisonneur et débauché, qui montre que, même indirectement, Joachim a un vernis, sinon plus, de culture classique.

Le rapport à l'écriture

Grâce aux écrits découverts sous les parquets, nous disposons d'un peu moins de 4 000 mots laissés par Joachim. Eux aussi nous parlent à leur façon. Tracées au crayon noir, le crayon du menuisier, les phrases laissées par Joachim présentent un aspect généralement régulier; il écrit droit, de manière lisible. Il forme ses lettres et n'omet pas les majuscules en début de phrase ou quand il énonce un nom propre. Il écrit en français et n'emploie jamais de mots de patois, ce qui révèle une éducation assez poussée, à une époque où les patois sont encore utilisés par les instituteurs dans l'apprentissage du français[5]. Il revendique une parole franche, dit être «franc», ce qui peut naturellement, sans extrapolation excessive, renvoyer à sa volonté de s'exprimer en français. Cette franchise qu'il revendique est mise en regard d'une certaine naïveté de sa part. Il se qualifie de «pauvre

Martin»; il est celui que l'on peut berner parce qu'il est franc. Sans doute en a-t-il fait l'expérience, ce qui le conduit à la réserve.

Joachim n'est visiblement pas un autodidacte. Il a appris à écrire avec un maître qui a su lui inculquer les règles de la grammaire, mais aussi de l'orthographe, même si celle-ci est loin d'être parfaite. Il a surtout quelques manies, celle par exemple d'écrire «plancer» et non «plancher». Il a aussi quelques tics de langage, reprend à plusieurs reprises l'expression «il est vrai». Il amalgame deux mots, «acolytes» et «alcooliques», en un «alcoolytes» savoureux, qui laisse entendre que ses compagnons de fêtes étaient aussi amateurs de boisson.

Il est frappant de constater avec quel mépris il considère le niveau d'éducation de ses contemporains. Évoquant le conseil municipal élu en 1881, il souligne l'ignorance de ses membres: «Ignorance complète sur 7 conseillers il y en a 4 qui ne savent lire.» Sans doute le propos est-il exagéré, mais Joachim veut signifier qu'à l'aune de ce qu'il estime être une bonne pratique de la lecture et de l'écriture, ils n'ont pas son niveau. Ce n'est pas la même chose de savoir signer son nom et de s'exprimer dans une langue claire et concise. Or c'est précisément ce que fait Joachim. Certes, les circonstances dans lesquelles il écrit ne lui laissent guère le temps d'approfondir sa pensée. Il doit aller à l'essentiel, mais il le fait généralement de façon percutante. Il pèse ses mots parce qu'il connaît le poids de l'écriture. Déçu de n'avoir trouvé aucune trace de ses prédécesseurs, «Pas un coup de plume ni crayon», il lance: «Ne fais pas comme eux écris toujours ta date. 1880.» Et ailleurs: «Mon histoire est courte et sincère et franche, car nul que toi ne verra mon écriture. C'est une consolation pour s'obligé d'être lu.» Cet attachement à l'instruction le pousse à être critique face aux unions avec une femme qui ne partagerait pas ce niveau d'éducation. «Ami lecteur quand tu prendras femme demande-lui son instruction et non pas d'argent pour dot», écrit-il faisant allusion à sa propre femme. Mais cela s'applique aussi à la femme de Fredo, le fermier de Picomtal, jugée «femme trop simple et pas d'instruction.»

D'où lui vient cet attachement à la trace écrite et à l'instruction? La question m'a longtemps taraudé, jusqu'à ce que je fasse consécutivement deux découvertes qui m'ont éclairé sur la psychologie de Joachim. La première a déjà été mentionnée. La mère de Joachim était protestante. Certes, elle a accepté qu'il soit baptisé et élevé dans la religion catholique, mais on ne peut pas imaginer que son protestantisme n'ait pas eu une influence sur son éducation. En effet, les protestants sont particulièrement attachés à l'apprentissage de la lecture et de l'écriture qui permet de rentrer en contact direct avec les textes bibliques. Dans les temples réformés, les murs affichent pour l'essentiel des versets de la Bible. Il est peu probable que Joachim soit jamais entré dans un temple, mais il est fort possible que sa mère lui en ait parlé. Les inscriptions les plus fréquentes sont généralement tirées de versets des psaumes. N'est-il pas troublant d'en trouver sous le crayon de Joachim ? L'adresse « Heureux mortel », certes fréquemment utilisée en poésie, forme aussi le premier verset du premier psaume du Livre des Psaumes. Sa mère a pu aussi lui indiquer l'importance de manifester sa présence, d'indiquer son nom et la date comme le font par exemple les menuisiers du Queyras quand ils signent les meubles qu'ils viennent d'achever. Et ce fut l'autre découverte concomitante de la première, de voir au musée départemental de Gap ces coffres et buffets arborant sur le devant le nom du menuisier et la date de la fabrication, inscrits non dans un coin du meuble, mais de manière ostensible, en son centre. Joachim n'a pas osé écrire son nom et la date sur le parquet. Il les a laissés au dos des planches, accompagnés de ses sentiments profonds sur sa vie et sur son entourage. Sur une planche où il évoque son père, il a inscrit en haut à droite : « 1880 », et en bas dans le coin droit : « Menuisier ». En agissant ainsi, il manifeste une quête d'identité née de cette fracture originelle d'avoir été déclaré fils naturel de son père et d'une mère « hérétique ». Cette mère, il n'en parle jamais, mais elle est présente derrière chacun de ses mots. C'est elle qui lui a appris à parler ce français châtié qu'il manie si bien quand ses camarades s'expriment encore en patois. Cette mère est aussi présente dans l'attirance qu'il éprouve pour les femmes mûres, la mère de Joseph Roman, âgée de 50 ans, voire la mère Escalier qui « pourrait encore donner des leçons de volupté ». Quand il utilise le mot « mère », c'est pour désigner celle des autres. La sienne n'a droit à aucune mention, à la différence de son père.

Une passion pour le fait divers

La culture historique et littéraire de Joachim se double d'un goût prononcé pour les faits divers contemporains qui laisse supposer la lecture du journal. On peut même parler d'une certaine fascination pour les crimes, sans doute parce que la volonté de révéler les secrets qu'il porte en lui remonte à cette scène d'infanticide dans l'écurie voisine de sa maison. Au château de Picomtal, il observe les objets conservés par Joseph Roman, provenant de la collection de son père :

> Mr Roman père était président de la célèbre cour d'Aix Marseille. De là vient que Roman fils a dans son musée couteaux, poignard, fusils, sabres, bâtons, tout ce qui a servi à la destruction humaine ; le fameux poignard du chef des brigands qui ont été guillotinés à Marseille tous 4 le même jour, horreur à voir. J'étais à Bastia où l'on en a guillotiné 2 qui en avaient tué 7. La manière de les guillotiner est différente mais on leur coupe toujours la tête.

Sur une autre planche, il compare Aimé-Benjamin qu'il dit coupable d'infanticide, aux grands criminels de son temps, évoquant Troppman, Dumollard et Vitalis, en un ordre qui perturbe quelque peu la chronologie, mais montre que Joachim a eu connaissance des grandes affaires criminelles des vingt dernières années.

Raymond-Martin Dumollard fut jugé aux assises de l'Ain en 1862 pour l'assassinat de sept servantes et condamné à mort[6]. Le nombre exact de ses crimes est resté ignoré, mais on connaît en revanche son mode

154

opératoire. Né le 21 avril 1810 à Tramoyes (Ain), il vivait à Dagneux, près de Montluel, avec sa femme, Marie-Anne Martinet. Il y cultivait quelques terres et un peu de vignes et louait ses services à l'extérieur comme journalier. Les journalistes relatant l'affaire ne manquèrent pas non plus de souligner qu'il était le fils d'un Hongrois nommé Ivan Miéralovich qui avait été écartelé à Padoue pour avoir assassiné la sœur d'un officier autrichien. Régulièrement, Dumollard se rendait à Lyon et se mettait en chasse de servantes, prétextant rechercher pour un prétendu maître une bonne efficace. Il promettait des gages suffisamment élevés pour convaincre les jeunes femmes de le suivre. Une fois sa proie ferrée, il la faisait venir en train dans la région de Montluel, et en rase campagne, se jetait sur elle pour l'assassiner, le viol de la victime et le vol de ses effets et de son argent parachevant le crime. Puis Dumollard enterrait le corps et rentrait chez lui où sa femme, complice de ses actes, nettoyait ses vêtements et cachait les objets dérobés. Ce criminel en série a agi pendant au moins dix ans et ne fut découvert que parce que sa dernière tentative échoua. En effet, Marie Pichon, qu'il avait recrutée sur le pont de la Guillotière à Lyon avant de la conduire à Montluel lui promettant d'entrer au service du comte de Montbrun pour 300 francs de gages, parvint à s'échapper alors que Dumollard tentait de l'étrangler. Conduite à la gendarmerie par un charretier qui l'avait recueillie, elle put décrire son assassin. L'affaire réveilla le souvenir de disparitions anciennes et conduisit à interroger Dumollard dont la masure fut également perquisitionnée. Les effets retrouvés confirmèrent alors qu'il n'en était pas à son coup d'essai. On retrouva notamment chez lui 38 bonnets et dix corsets. Le procès s'ouvrit à Bourg-en-Bresse le 30 janvier 1862. Dumollard fut condamné à mort le lendemain et sa femme à vingt ans de travaux forcés. Il fut guillotiné sur la place publique de Montluel le 7 mars 1862[7]. Désormais désigné comme le «fauve de la Bresse», Dumollard fascina par ses crimes. L'opinion publique se passionna pour les deux jours de débats de son procès. Plusieurs complaintes furent alors composées. L'une d'elles, en 25 strophes, relatant ses principaux crimes, le décrit comme un monstre sanguinaire:

Ce léopard indomptable
Cet être ignoble et grossier
Joignait l'instinct carnassier
À la luxure abominable.
Coiffé d'un chapeau tromblon
C'était un parfait démon.

L'image du personnage diabolique se double de la figure du cannibale, dévorant ses victimes, comparaison qu'accroît encore la strophe suivante, qui transforme le criminel en véritable bête:

Traits de loup, yeux de hyène
Lèvres fendues, dents de cheval
C'est le vrai type bestial
De venin son âme est pleine
Son air, c'est la soif du sang;
C'est le paysan fait Satan

Et un peu plus loin, la comparaison s'affirme encore :

Et le cannibale atroce
Boit et mange en ricanant ;
Sa complice en fait autant ;
Couple hideux et féroce !
C'est à défier l'Enfer !
Ces cœurs plus durs que le fer[8].

C'est cette figure du monstre que retient Joachim quand il utilise la comparaison avec Dumollard.

L'affaire Troppmann a défrayé la chronique à la fin du Second Empire quand on découvre à Pantin les cadavres d'une femme, Mme Kinck, et de ses cinq enfants. On déterre ensuite ceux de son mari et de son fils aîné Gustave. Un même homme a assassiné ces huit personnes. Il s'appelle Jean-Baptiste Troppmann. Âgé de vingt ans au moment des faits, il est né à Cernay dans le Haut-Rhin, le 5 octobre 1849. D'abord apprenti dans un atelier de mécanique, il est arrivé à Paris en décembre 1868. Il fait peu après la connaissance de Jean Kinck, mécanicien comme lui, mais travaillant à son compte à Tourcoing et à la tête d'un petit pécule évalué à cent mille francs. Troppmann entre dans l'intimité de la famille et convainc Jean Kinck de développer une affaire en Amérique. Après en avoir accepté le principe, Kinck se rétracte et l'annonce à Troppmann près de Cernay où il est venu le retrouver. La réaction de Troppmann est immédiate. Il verse de l'acide prussique dans la bouteille de vin qu'il tenait à la main, la propose à son compagnon qui tombe raide mort. Troppmann creuse une tombe à la hâte et l'y enterre, après l'avoir dépouillé de son portefeuille, puis retourne chez sa mère à Cernay, d'où il écrit à Madame Kinck, travestissant l'écriture de son mari, afin de se faire envoyer de l'argent. Mais le receveur des postes de Guebviller refuse de lui verser les sommes envoyées, ne reconnaissant pas en lui Jean Kinck. Troppmann se rend alors à Tourcoing, mais a toutes les peines du monde à convaincre Mme Kinck de lui verser l'argent dont aurait besoin son mari. Il envoie à Guebviller l'un des fils de Jean Kinck, Gustave, qui ne parvient pas davantage à se faire délivrer l'argent et revient donc à Paris bredouille, pensant y retrouver son père. Troppmann a prémédité son assassinat. Venu le chercher à la gare, il le conduit à Pantin, prétendument pour voir son père. En fait, parvenu au camp Langlois, il lève sur lui un couteau et le poignarde dans le dos, avant de l'enterrer dans une fosse creusée à la hâte. C'est alors qu'il écrit à Madame Kinck pour la faire venir à Paris avec ses enfants afin de faire disparaître toute la famille. Il reproduit le même procédé qu'avec Gustave, vient chercher les Kinck à la gare et leur fait croire qu'il va les conduire auprès du père. Parvenu en voiture dans la plaine de Pantin, il s'engage dans un chemin avec la mère et deux de ses enfants, trois autres restant dans la voiture, puis arrivé au lieu fixé, retrouve un complice qui poignarde la mère et ses deux enfants. Troppmann retourne alors à la voiture, paie le cocher et ramène les trois enfants qu'il étrangle l'un après l'autre sur le corps de leur mère. Les deux complices creusent ensuite une fosse où les six corps sont enterrés.

Ces événements se déroulèrent le 19 septembre 1869. Troppmann décide alors de quitter Paris, de gagner Le Havre d'où il espère partir vers les États-Unis. Il est porteur de tous les papiers de la famille Kinck. Or au même moment, dès le matin du 20 septembre, les cadavres ont été découverts, jetant l'effroi dans Paris. L'opinion publique pense alors que le crime a été commis par le père et le fils aîné dont on ignore alors le sort. Parvenu au Havre, où il passe quelques jours, Troppmann intrigue un gendarme qui lui demande ses papiers. Affolé, il se jette à l'eau, aveu de culpabilité confirmé par la découverte des papiers volés aux Kinck. Ramené à Paris par le chef de la sûreté Claude, objet des invectives d'une foule déchaînée, appelant à le lyncher, Troppmann est finalement conduit à la prison de Mazas. Conduit à la morgue, il a bien reconnu les six cadavres découverts à Pantin, mais nie les faits, reportant la responsabilité sur Jean et Gustave Kinck. Quelques jours plus tard, la découverte du corps de Gustave ébranle sa défense. Il finit par avouer l'assassinat de Jean Kinck dont le corps est retrouvé, grâce à ses indications. Condamné à mort le 30 décembre 1869, il est guillotiné le 19 janvier 1870[9]. La presse n'a pas manqué de relayer les péripéties de l'affaire Troppmann. Mais comme dans l'affaire Dumollard, la complainte s'en est également emparée[10]. Et c'est peut-être par elle, plus que par les journaux, que Joachim en a eu vent.

L'affaire Vitalis est encore plus récente. Son écho en est d'autant mieux parvenu dans les Hautes-Alpes que le crime s'est déroulé à Marseille. Il implique là encore un couple. Léon Vitalis, âgé de vingt-cinq ans au moment des faits, né à Bréau dans le Gard, bouquiniste à Montpellier, avait fait la connaissance d'une riche veuve, Marie Boyer, née Salat, âgée de 45 ans, et de sa fille, Maria. Entré dans l'intimité de la famille, il envisageait d'épouser Maria, tout en se montrant très assidu auprès de la mère. Il suivit les deux femmes à Marseille où la veuve Boyer et sa fille s'étaient installées à la fin de 1876, achetant deux magasins, une mercerie et un magasin de fromages, au 49 rue de la République. Après avoir soustrait 11 400 francs en obligations du Crédit foncier, Léon Vitalis avait réussi à convaincre Marie Boyer de lui donner procuration pour vendre ses deux magasins. Mais pour autant, les relations entre elle et Vitalis allaient en se dégradant, les témoins relatant de nombreuses scènes de dispute. La dernière fut fatale à la veuve Boyer. Le 19 mars 1877, une altercation éclate. Vitalis éloigne le garçon de magasin, tandis que Maria ferme les portes de la boutique. Vitalis frappe alors sourdement Marie Boyer à la poitrine, puis la roue de coups avant de tenter de lui planter un couteau dans le cœur, mais la veuve résiste, hurle et se débat. Il parvient néanmoins à lui trancher la gorge avec un couteau à gruyère que vient de lui tendre Maria, cette dernière prenant une part active à la scène de barbarie qui conduit à la mort de sa mère. Puis le corps est descendu à la cave, où les deux complices cherchent à l'enterrer, sans y parvenir. Ils décident alors de le découper en morceaux, détachent les membres du tronc, tranchent la tête, mais sans parvenir à la disloquer du corps et finissent par la lacérer pour empêcher toute identification. Les morceaux du corps, entourés de linge, sont ensuite déposés dans deux corbeilles. Le lendemain, Vitalis et Maria vont, à l'aide d'un charreton loué pour l'occasion, déposer les restes de Marie Boyer au bord de la mer, dans le quartier de la Madrague. Puis de retour au magasin, les deux complices s'emparent de l'argent et des bijoux de Marie Boyer, tandis que Vitalis tente en vain de vendre les deux magasins. Ils n'eurent toutefois pas le temps de mettre à exécution leur projet de fuite vers l'étranger. En effet, à peine enfouis sous le sable, les restes sont découverts, le 21 mars, par Alphonse Gouin, sous-brigadier des douanes à Marseille. Le corps, conduit à la morgue, est immédiatement identifié malgré l'état du visage[11]. Le procès s'ouvre à Aix le 2 juillet 1877. Vitalis est condamné à mort quelques jours plus tard par la cour d'assises pour meurtre avec préméditation, sa complice aux travaux forcés à perpétuité.

Cet intérêt de Joachim pour les crimes concerne aussi ses propres connaissances. Il accuse Pavie, parti aux États-Unis, d'avoir voulu échapper à la justice. «A étranglé quelqu'un ce que l'on dit», propos qu'aucun élément ne vient corroborer. Il évoque un cousin de Fredo ayant fait cinq ans de prison à Embrun, sans qu'il ait été possible de l'identifier. Il parle encore de l'oncle de Michel jugé à Gap puis acquitté. Cet intérêt pour les faits divers criminels tranche avec l'atonie de l'actualité judiciaire dans les environs des Crottes. Le seul assassinat ayant concerné la commune remonte à 1805 quand un homme est jugé pour avoir tué son enfant[12]. Pour le reste, les annales judiciaires laissent apparaître quelques délits forestiers ou liés à des vols dans les vignes, sans parler du défaut de signalisation de voitures circulant sur la route nationale ou mal stationnée dans le village[13]. En somme, les Crottes apparaissent, vu de l'extérieur, comme un village calme, une commune sans histoire. Il est vrai que la brigade de gendarmerie est installée à Savines, chef-lieu de canton et que tous les méfaits ne sont peut-être pas signalés. La communauté, malgré ses différends, se serre les coudes et affiche sa solidarité. Elle va toutefois se diviser face à son curé, l'abbé Lagier, que Joachim met en scène sous les planches.

CHAPITRE VIII

L'ÉGLISE, LE PRÊTRE ET LES FEMMES

La religion demeure en arrière-plan des préoccupations de Joachim Martin, même si elle n'occupe que modestement ses pensées. Mais l'église et le prêtre font partie de son environnement mental, surtout lorsqu'il est l'objet des critiques de son curé. Le contentieux perceptible sous les planches va prendre une tournure inattendue. C'est sans doute l'une des grandes douleurs de Joachim.

Le clergé paroissial

Au centre du village se dresse une église qui encore aujourd'hui frappe par son caractère atypique. Construite au XIVe siècle sur un lieu de culte plus ancien, elle a été plusieurs fois remaniée, notamment au XIXe siècle, et offre la particularité d'être orientée nord-sud. Le portail s'ouvre en effet sur la rue principale en direction du nord. Cette porte romane, à trois arcades, joliment décorée, s'offre désormais au regard bien qu'elle fut, jusqu'aux années 1850, protégée par un porche ou réal comme on dit dans la région, qui a été détruit pour permettre d'agrandir la route et de construire un aqueduc devant guider l'écoulement des eaux. L'église est placée sous le vocable de Saint-Laurent, patron du village. Elle est sous la responsabilité d'un curé desservant, selon la formule contenue dans la loi sur les cultes de 1802, qui signifie que le curé des Crottes est amovible et touche une rémunération inférieure à celle d'un curé de canton, soit environ 1 000 francs par an au début des années 1880, somme comparable au traitement d'un instituteur. Joachim en parle à plusieurs reprises et le nomme comme il aime à nommer tous ses contemporains. Il s'agit de Joseph Jules Lagier, né le 13 avril 1836 à Plampinet, hameau de Névache, une commune située dans le Briançonnais, qui abrite une brigade de douaniers. Le père de Jules, Simon Joseph Lagier, est en effet receveur des douanes royales. Après des études au petit séminaire d'Embrun, puis au grand séminaire de Gap, Jules est ordonné prêtre le 18 juin 1859, puis commence sa carrière comme professeur de français au petit séminaire d'Embrun. En 1863, il est nommé desservant du village de Le Bez, dans le Briançonnais, où il reste jusqu'en 1871, date de sa nomination comme curé des Crottes.

Selon un schéma assez classique au XIXe siècle, l'abbé Lagier vit au presbytère avec sa plus jeune sœur,

Hortense, née en 1838. Le presbytère est situé en face de l'église, de l'autre côté de la route principale. Il est aujourd'hui occupé par le bureau de poste. Derrière s'étend un jardin de quelques ares. Hortense Lagier a 42 ans en 1880. Elle n'échappe pas à la critique mordante de Joachim qui lui consacre plusieurs lignes, la rajeunissant de huit ans, ce qui laisse penser qu'il n'est pas insensible à la sensualité qui se dégage d'elle :

> Le curé a une sœur grande et mince n'y voyant que la moitié de ses misères, âgée de 34 ans et son frère curé 38 amoureux comme une araignée surtout avec les postillons de la diligence avec qui on l'a trouvé plusieurs fois sous le poirier de Mr Roman sous le barry[1] ; enfin à te dire vrai ils sont bons musiciens l'un et l'autre et Puts[2] [sic] l'un comme l'autre. Tous les samedis elle va se confesser au séminaire où il m'a été dit qu'un abbé professeur était devenu amoureux fou d'elle parce qu'elle a cette manière de se laisser aller tout doucement aux sons de la volupté et plusieurs bacans [?] ici en ont été pris, pourtant elle n'est pas belle mais jolies manières.

Le portrait d'Hortense ne correspond pas à l'image de la célibataire s'occupant de l'intérieur de son frère curé et l'aidant dans les affaires de la paroisse. Elle affiche certes une façade de femme dévote, se confessant chaque semaine, assistant à la messe régulièrement et probablement aussi pratiquant la communion fréquente. Mais derrière cette façade se cache, si l'on en croit Joachim, une vie qu'il juge dépravée. Nous ne disposons d'aucune source pour corroborer ses dires, mais les propos de Joachim ont été souvent confirmé par les faits, si bien que

165

l'on peut penser qu'il ne la dénonce pas sans raison, du moins à ses yeux.

L'abbé Lagier n'est pas le curé qu'a connu Joachim dans son enfance. Le prêtre qui l'a baptisé s'appelait Guillaume-Louis Jouvène. Originaire de Risoul, il venait de prendre possession de la paroisse, en 1841, après avoir été vicaire à Briançon. Il demeure en poste aux Crottes jusqu'en 1848. C'est donc son successeur, Jacques Antoine André Pellissier, qui va véritablement marquer Joachim. Originaire d'Embrun, où il a commencé sa carrière comme vicaire, il est arrivé aux Crottes en 1848 et y reste jusqu'en 1871, étant alors nommé curé de Baratier[3]. C'est l'abbé Pellissier qui a donné à Joachim les cours de catéchisme, l'a préparé à la première communion et a béni son mariage en 1870. Mais depuis neuf ans que l'abbé Lagier dessert la paroisse principale des Crottes, Joachim a eu le temps de l'observer et il en dresse un portrait peu amène. Le 23 août 1880, il se plaint ainsi de ce que la veille, à la messe dominicale, l'abbé Lagier l'a dénoncé pour avoir animé un bal le dimanche précédent, à l'occasion de la Saint-Laurent. La fête patronale du village, normalement célébrée le 10 août, est, cette année-là, reportée au dimanche 15, le 10 tombant un jour de semaine. Pour le curé, cette fête quasi païenne, placée le jour de la fête de l'Assomption, est apparue comme une provocation. Joachim ne précise pas s'il a assisté lui-même à la messe ou si, plus vraisemblablement, les propos du prêtre lui ont été rapportés par une tierce personne, probablement sa femme. La dénonciation de la danse par le clergé relève d'un répertoire classique qui, en retour, a toujours suscité la réprobation des anticléricaux, à l'image de Paul-Louis Courier, publiant en 1822 un pamphlet sur ces villageois que l'on empêche de danser[4].

Au chef-lieu, l'abbé Lagier touche, en plus de son traitement versé par l'État, une somme de 1 000 francs, une indemnité de la commune de 300 francs, se décomposant en 100 francs de prime pour binage, car il célébrait deux messes chaque dimanche, et 200 francs d'indemnité de casuel. La municipalité prenait donc en charge les frais du culte qui généralement étaient acquittés par les paroissiens. Au départ de l'abbé Lagier, en 1886, l'indemnité de casuel est diminuée de 15 francs. Puis le conseil municipal décide en mai 1887 de supprimer l'indemnité de binage, ce qui conduit le successeur de Lagier, l'abbé Rozan, à ne plus dire qu'une seule messe à compter du 1er janvier 1888, provoquant une crise dans la paroisse. Le curé se plaint amèrement de cette baisse financière, tout en mesurant que la décision prise a des motifs politiques. Il souligne dans ses courriers qu'un ou deux conseillers municipaux seulement viennent épisodiquement à la messe et met en regard de la diminution de ses émoluments le vote d'une somme de 200 francs pour la fête du 14 juillet dont on perçoit qu'il ne la prise guère[5]. Puis l'abbé Rozan en vient à demander sa mutation[6]. Il quitte la paroisse la même année et finira sa carrière comme curé de La Grave, paroisse où il est nommé en 1899[7]. De son côté, le conseil municipal réagit à la suppression de la première messe en s'adressant à l'évêque, justifiant la

LE PLANCHER DE JOACHIM

baisse de l'indemnité par l'augmentation des charges de la commune en entretien des routes ou des écoles et rappelant que la somme de 300 francs avait été allouée en 1875 à l'abbé Lagier pour d'autres raisons, que les conseillers ne précisent pas, même s'ils font allusion aux services rendus par le curé d'alors en matière d'assistance médicale[8]. Devant le refus du curé de reprendre la première messe, le conseil municipal décide, en mars 1886, de baisser de 35 francs l'indemnité du casuel, entraînant une vive protestation de l'évêque qui juge le traitement du curé insuffisant[9]. Cette politique de baisse du budget alloué au culte s'inscrit dans le prolongement des mesures prises au niveau national et participe de la politique de laïcisation en cours dans le pays.

La commune abrite une seconde paroisse. Le hameau de Saint-Jean, perché à flanc de montagne, et qui fut probablement le noyau originel du village des Crottes, a en effet conservé une identité forte qui passe d'abord par la création d'une paroisse. Éloigné de près de six kilomètres du chef-lieu, presqu'inaccessible en hiver, le hameau s'est attaché les services d'un prêtre dès les lendemains du concordat de 1801. Puis, dans les années 1820, les habitants ont obtenu de pouvoir construire une église, dont les travaux ont été achevés en 1833. Elle devient le centre d'une nouvelle paroisse en 1868. La paroisse Saint-Jean est donc désormais une paroisse à part entière, régulièrement visitée par les évêques du diocèse. En 1876, elle obtient une aide du gouvernement d'Ordre moral, très favorable à l'Église, et 2 230 francs de crédit de la commune pour la réfection de la toiture. Des travaux de réfection de l'intérieur de l'église sont également entrepris à partir de l'année suivante. Ils conduisent à commander à Joachim Martin une crédence, déposée à la sacristie, et qui lui a été payée 250 francs selon ses dires. Elle est en effet décrite dans un état du mobilier de la paroisse : « La paroisse possède une crédence de la valeur de 225 francs dont 75 donnés par l'État et 150 donnés par MM. les abbés Joubert, Durand et Borel, faite en 1879 par M. Martin, sous l'abbé Brunek, curé de Saint-Jean[10]. »

Une pratique religieuse en déclin

Le diocèse de Gap est encore, jusqu'aux années 1860, un diocèse fervent où la pratique est forte et le taux d'encadrement clérical élevé. Le pic des vocations est alors atteint, avec une proportion de 0,75 ordinations pour 10 000 habitants[11]. L'abbé Lagier, ordonné en 1859, participe donc de ce regain des vocations dans la région. La pratique tend cependant à régresser, précisément au début des années 1880, comme si l'avènement de la République des républicains avait contribué à affaiblir l'emprise du clergé sur la société, ce que confirme Joachim qui n'hésite pas à formuler de vives critiques à l'égard de son curé. Il exprime aussi le fossé existant entre la pratique des hommes et des femmes, ce que les sociologues des religions désignent sous le nom de « dimorphisme sexuel ». Mais pour comprendre cette évolution, il faut se référer aux informations recueillies par les évêques lors de leurs visites pastorales dans la paroisse des Crottes. En 1844, le canton de Savines dont fait partie le village des Crottes affichait un taux de pascalisants de 71,2 %, l'un des plus élevés du diocèse de Gap dont la moyenne s'établissait alors à 65,3 %. Les pascalisants sont les catholiques qui «font leur Pâques» comme on dit alors, c'est-à-dire communient dans le temps pascal, répondant ainsi aux prescriptions de l'Église qui les intègre ainsi au rang des bons fidèles. Avec deux tiers de pratiquants réguliers, le diocèse est une terre de chrétienté. Mais la différence entre hommes et femmes est forte, 34,5 % pour les premiers au niveau du diocèse, 91,2 % pour les secondes. Pour le canton de Savines, le dimorphisme est encore plus accentué, puisque 34 % des hommes communient à Pâques, pour 92,1 % des femmes[12]. Dans le village des Crottes, la proportion de pascalisants serait d'environ 63 %, le curé notant en 1844 qu'il y a plus de femmes que d'hommes qui communient[13]. À la même date, la fréquentation de la messe dominicale est jugée par les curés des paroisses du canton comme bonne ou assez bonne[14]. L'enquête est conduite à l'époque où Joachim est enfant. Il y a tout lieu de penser qu'il fait partie des fidèles qui participent régulièrement à la messe dominicale, sans doute avec son père.

La naissance dans le ménage de ses parents de huit enfants en dix-sept ans laisse penser de prime abord qu'ils ne pratiquent pas le contrôle des naissances et suivent les prescriptions de l'Église en la matière, ce qui ne les a pas empêchés, dans leur jeunesse, de concevoir

Joachim avant leur mariage. L'appartenance initiale de la mère de Joachim à la religion réformée n'y change rien. On a cependant remarqué qu'une césure était intervenue entre 1852 et 1857. Les six premiers enfants du couple que forment les parents de Joachim sont nés en dix ans, tous, à une exception près, entre juin et octobre, c'est-à-dire qu'ils ont été conçus hors de ce que l'on appelle les « temps clos » durant lesquels l'Église recommande l'abstinence sexuelle, à savoir la période de l'avent, les quarante jours précédant Noël, et le carême. Les deux derniers enfants sont nés en décembre, et ont donc été conçus pendant la période du carême qui a précédé. Les parents de Joachim se sont donc apparemment affranchis progressivement des règles imposées par l'Église et peut-être même se sont-ils mis à pratiquer le contrôle des naissances. Peut-être ce changement de comportement est-il à mettre en relation aussi avec le changement qui intervient dans l'existence du père qui n'exerce plus momentanément le métier de charpentier et est signalé comme journalier au recensement de 1856.

Avec quatre enfants nés entre 1871 et 1877, tous conçus hors des temps clos, Joachim n'est sans doute pas non plus un praticien extrêmement assidu du coït interrompu, principal moyen alors connu d'éviter la conception de nouveaux enfants. Au-delà de 1877, il n'aura pas d'autre enfant. Est-ce le résultat d'un contrôle des naissances désormais pratiqué ou d'une raréfaction des relations sexuelles avec sa femme, ce qui pourrait expliquer qu'il soit aussi préoccupé par les questions liées à la sexualité.

On ne peut à cet égard qu'émettre des hypothèses, tout en rappelant que le contrôle des naissances est encore très faible dans les Hautes-Alpes à la fin du XIXe siècle[15]. Ses quatre enfants ont été baptisés très rapidement après leur naissance, signe que Joachim et sa femme respectent les prescriptions de l'Église qui recommande de baptiser les enfants le plus tôt possible, *quam primum*, en tout cas dans les trois jours qui suivent la naissance. L'aînée, Noélie, née le 25 décembre 1871, est baptisée le 27. De manière classique pour un premier né, son parrain est son grand-père paternel, sa marraine, sa grand-mère maternelle. Jean-Baptiste est baptisé le jour même de sa naissance et reçoit comme parrain son oncle paternel, Désiré Martin dont il porte également le prénom, sa marraine étant une grand-tante maternelle, Marie-Anne Robert. Joseph Casimir Édouard est baptisé le lendemain de sa naissance. Son parrain est un oncle maternel, Casimir Robert. Sa marraine est une cousine, Hélène Lombard. Quant à Émilie, née le 14 septembre 1877, elle est baptisée le 16. Son parrain est Émilien Lombard, sa marraine sa tante paternelle, Émilie Martin[16].

Joachim ne dit rien de son appartenance éventuelle à la confrérie de pénitents de son village. La paroisse des Crottes abrite en effet une communauté de la confrérie des pénitents noirs, toujours très puissante au XIXe siècle et au début du XXe siècle. L'Embrunais se caractérise plus généralement par l'ancienneté et la vitalité de ses confréries. L'enquête de 1809 diligentée par le ministère des Cultes a montré que ces confréries s'étaient rapidement recomposées après la Révolution. Dans l'arrondissement d'Embrun, on compte alors 31 confréries. Seules cinq paroisses en sont dépourvues, ce qui illustre l'ampleur de ce phénomène de sociabilité masculine. Elles réunissent 3 692 pénitents, dont 164 pour la confrérie des pénitents noirs des Crottes[17]. La vigueur de ces confréries ne se dément pas ensuite. La confrérie des pénitents noirs des Crottes ne déroge pas à la règle. On la connaît grâce à trois tableaux permettant d'identifier ses membres, l'un date de 1856, un autre de 1874, un troisième de 1891[18].

En 1856, la confrérie, dont le recteur est Pierre Granger, compte vingt-quatre vice-recteurs, essentielle-ment recrutés parmi les personnages les plus influents du village; on y retrouve le maire, Louis Berthe, ses prédé-cesseurs Antoine Robert ou Jean-Antoine Jame, ainsi que de nombreux conseillers municipaux. La confrérie réunit aussi quinze choristes, seize maîtres de cérémonies, six sacristains, onze secrétaires parmi lesquels Joseph Martin, le grand-père de Joachim et son grand-oncle, Jean-Louis, dix-sept conseillers, quinze trésoriers, quatorze maîtres des novices dont le père de Joachim, désigné comme Jean-Joseph Martin fils, quinze entremetteurs de paix, deux porte-croix et un portier. Au total, l'effectif est donc de 132 confrères. Il s'accroît au cours des vingt années suivantes. En 1874, l'organisation de la confrérie a été quelque peu modifiée. Placée sous la direction de Bernard Jean Antoine, elle compte alors quatorze vice-présidents, quinze conseillers, six maîtres d'office, vingt-deux choristes, seize maîtres de cérémonies, huit sacristains,

173

deux porte-bannières, deux porte-croix, sept aspirants au rectorat, trente-trois aspirants aux fonctions honorables de la confrérie, seize entremetteurs de paix, un portier et trois maîtres des novices, soit un total de 145 hommes. S'y ajoutent deux femmes, qui ont le statut de prieuresses. Le nom de Joachim Martin ne figure pas parmi les 145 hommes membres de la confrérie. En revanche son père, Jean-Joseph Martin, fait partie des vingt-deux choristes. En 1891, la confrérie ne compte plus que 99 membres. Cette baisse confirme le déclin démographique du village, mais s'explique aussi par l'accélération du détachement à l'égard des pratiques religieuses. Joachim ne fait pas partie de la centaine de confrères qui continuent de se réunir pour enterrer leurs morts. Pour autant, sa préoccupation de la mort est réelle et des liens avec la confrérie ont dû exister, comme le laissent penser ces propos qu'il adresse à son lecteur d'outre-tombe, évoquant la «maison des frères», c'est-à-dire la chapelle des pénitents qu'il rapproche du cimetière où repose l'ancien maire et ancien propriétaire du château, Louis Berthe:

> Conserve-toi et songe qu'un jour tu feras comme moi, tu iras à la maison des frères où je repose. J'ai garni le tombeau de Mr Berthe et je vais rejoindre mon travail pour n'être plus de ce monde que je quitte volontiers pourtant il y a de plus malheureux qui existent pourquoi me plaindre.

Placée sous l'invocation de Saint-Jean-Baptiste, la confrérie possède la chapelle Saint-Sébastien située à l'extérieur du village, qui abrite notamment un Christ en ivoire, rapporté d'Espagne par un soldat nommé Serres, originaire des Crottes, qui participa à la guerre de la Péninsule ibérique sous l'Empire[19]. Comme ailleurs en Provence, les pénitents développent une sociabilité masculine propre, tournée notamment vers l'accompagnement de ses membres au moment de la mort[20]. Un règlement de 1900 met l'accent sur la participation aux funérailles dans une perspective de concurrence avec les associations de libre-pensée, la confrérie refusant de prendre part aux enterrements civils[21]. La confrérie participe aussi aux processions traditionnelles des Rogations ou de la Saint-Jean, ainsi qu'au pèlerinage villageois en direction du laus de Morgon, à la Saint-Pierre, le 29 juin. Les confréries de pénitents offrent ainsi aux hommes une possibilité de pratique religieuse en marge du cadre paroissial traditionnel. Souvent en conflit avec le curé du lieu, utilisant leur propre lieu de culte, elles peuvent fort bien se concilier avec une forme d'anticléricalisme croyant, comme celui qu'exprime Joachim dans ses propos sur l'abbé Lagier.

Le temps de la fête religieuse correspond aux Crottes à la période du printemps et de l'été. C'est le moment où la neige disparaît, où la végétation renaît. Les Rogations sont particulièrement suivies car la procession qui se déroule au cours du mois de mai a pour but d'attirer les bienfaits de Dieu sur les récoltes en devenir. Un mois plus tard, la Saint-Jean célèbre précisément l'approche de la moisson. Et, quelques jours plus tard, le pèlerinage vers le lac de Morgon est une autre occasion de célébration collective et d'union entre la vallée et la montagne. La fête aurait des racines païennes mais n'en est pas moins encadrée par le clergé. Le cortège, parti du village, rejoint celui qui s'est formé dans la paroisse d'altitude de Saint-Jean. La célébration de la Saint-Laurent en août complète ce cycle de fêtes religieuses communautaires qui contribuent à forger une identité villageoise, même si le rapport à la religion se distend.

Le déclin de la pratique masculine perceptible dans la deuxième moitié du XIXe siècle est confirmé par les visites pastorales effectuées par les évêques de Gap au début du XXe siècle. En 1912, seul un petit nombre d'hommes assiste à la messe le dimanche, ce qui est à l'inverse le cas de la grande majorité des femmes. Les hommes sont en revanche encore présents aux grandes fêtes. Mais l'analyse des taux de communion pascale confirme cet écart entre pratique masculine et féminine. Les trois quarts des femmes communient à Pâques chaque année, un quart de manière irrégulière. Chez les hommes, seule une vingtaine pratique régulièrement et 60 de manière irrégulière, mais cela ne représente que 20 % des hommes âgés de plus de douze ans. Le curé conclut à une indifférence de la part des hommes : « En général pas d'impies notoires, pas de sectaires irréductibles, pas de refus des derniers sacrements au moment de la mort. Du côté des hommes, mentalité religieuse, mais peu de pratique, et surtout craintive depuis la loi de séparation[22]. » Il fait allusion à la loi de séparation des Églises et de l'État de 1905. Douze ans plus tard, il n'y a plus que cinq à six hommes à la messe du dimanche et les deux tiers des femmes. Ce sont les mêmes qui communient dans le temps pascal[23]. Pendant la saison estivale, la famille Roman fréquente l'église. Isabelle Roman a même pris en charge l'organisation d'un patronage de jeunes filles dont le succès est considéré comme « appréciable du point de vue de l'instruction religieuse », mais il ne fonctionne que de juin à novembre[24].

Haro sur le curé

À plusieurs reprises, Joachim s'en prend à son curé. À l'occasion des invectives dont il est l'objet pour avoir donné un bal le 15 août 1881, il en dresse un portrait peu flatteur : « Notre curé grand maigre couleur de pourriture jaune est à dire vrai un brave homme bon médecin et pas cher rend des grands services au pays mais il a un air de crânerie insolente avec son tricorne sur la nuque. » On a vu aussi que l'abbé était mis en cause par Joachim pour sa pratique de la confession. Mais la charge se poursuit. Sous une autre planche, il évoque par exemple le père de Lagier et trace une conclusion sans détour : « Son père était un capitaine de douane en retraite à 100 francs par mois d'appointement. Vrai philosophe de sexe. » En 1880-1881, la charge contre le curé se concentre essentiellement sur ses mœurs, même s'il aborde aussi la question de sa pratique de la médecine. Trois ans plus tard, les critiques se précisent, démontrant combien les propos sous les planches ont peut-être permis à Joachim de se libérer et de s'exprimer publiquement d'autant mieux qu'il n'est désormais plus seul à le mettre en cause.

La dénonciation de l'abbé Lagier par Joachim Martin pourrait passer pour le résultat d'une querelle personnelle. Or il se trouve que l'on dispose d'autres sources qui éclairent le rapport entre le prêtre et la communauté paroissiale des Crottes. Le 28 mars 1884, une pétition parvient sur le bureau d'Amédée Ferrary député d'Embrun. Adressée au ministre des Cultes, elle demande le renvoi de l'abbé Lagier, «qui est cause de troubles, de divisions, de scandales[25]». Aucune précision n'est fournie sur les agissements prêtés au curé mais rapprochées des propos de Joachim ces accusations résonnent comme une mise en cause de ses penchants pour les femmes de la paroisse. Les signataires précisent qu'ils ont en vain alerté l'évêché sur le cas Lagier. Ferrary transmet la pétition au ministère des Cultes, tout en en atténuant la portée ou plus exactement, en faisant glisser l'affaire sur le terrain politique. Il demande de faire cesser les agissements d'un «ennemi acharné des institutions républicaines[26]». Un voile pudique est jeté sur d'éventuelles dérives à caractère sexuel. Invité à faire une enquête sur l'abbé Lagier, le préfet des Hautes-Alpes s'en tient lui aussi aux questions politiques, en reconnaissant que l'abbé Lagier est connu pour ses opinions hostiles aux institutions républicaines, ce qui n'est pas à ses yeux un motif suffisant pour demander son remplacement, pouvoir qui revient à l'évêque.

Mais la pétition ne se contentait pas d'exiger le départ de l'abbé Lagier. Elle demandait aussi la nomination à sa place d'un pasteur protestant. On ne connaît pas les raisons de cette requête qui invite cependant à plusieurs commentaires. Le conflit avec l'abbé Lagier pousse une partie des paroissiens à exprimer un fort rejet du clergé catholique, mais pas de la religion elle-même. Ils souhaitent conserver un encadrement religieux, mais qui soit moins contraignant que le catholicisme. L'emprise des pasteurs sur les fidèles est évidemment beaucoup plus faible que celle des curés catholiques. Le glissement d'une religion à l'autre n'est pas très fréquent, surtout de manière collective, mais il illustre l'existence d'espaces intermédiaires entre le catholicisme et le protestantisme, à l'intérieur desquels les intéressés peuvent osciller, passant d'une religion à l'autre, au XIXe siècle comme à d'autres époques[27]. L'image du pasteur, homme marié, rassure une communauté échaudée par les frasques de son curé. Enfin, la participation des protestants à la construction de la République et d'une laïcité ouverte a pu contribuer à ce choix. Le département des Hautes-Alpes compte en outre une petite communauté protestante qui était évaluée à 1300 personnes au début du Consulat, implantées dans le sud du département et le Queyras[28]. Aux Crottes, la quasi-totalité de la population est catholique, mais on comptait toutefois six calvinistes au recensement de 1851, chiffre que donnait déjà le curé des Crottes lors de la visite pastorale de 1844, précisant que deux couples de la commune n'étaient mariés que civilement. Il s'agit

précisément des parents de Joachim et de sa tante maternelle. Les origines protestantes de Joachim ont sans doute
contribué à cette demande assez inhabituelle. Elle est
allée suffisamment loin pour que le pasteur de Guillestre
se déplace en personne pour rencontrer le groupe des
dissidents prêts à rejoindre les réformés. Le préfet n'est
cependant pas convaincu par l'idée de nommer un
pasteur aux Crottes. Il considère que très peu des péti-
tionnaires se rendraient au temple si un pasteur s'installait
dans le village. Il suggère donc de ne pas donner suite à
la pétition.

Cette pétition a été signée par vingt-quatre habitants
des Crottes, également répartis entre hommes et femmes.
Le premier signataire est l'ancien maire des Crottes,
Honoré-Auguste Philip, dont Joachim écrivait en 1880
quand il était en fonction, qu'il était très anticlérical. Sa
femme, Philippine, a également apposé sa signature au
bas de la supplique. Mais en dessous de l'ancien maire
l'un des premiers à placer son nom n'est autre que
Joachim Martin, suivi de sa femme, Marie Robert. Notre
menuisier est donc très impliqué dans ce mouvement de
protestation contre le curé du village. La liste des vingt-
quatre signataires compte aussi deux conseillers municipaux, Jean Joseph Gendre, qui fut conseiller jusqu'en
1881, et qui le redevient en mai 1884. Quant à Pierre
Albrand, cultivateur au hameau de Basquis, il est
conseiller au moment de la rédaction de la pétition, mais
ne l'est plus quelques semaines plus tard. Cette implication d'élus locaux dont un ancien maire, connu pour ses

idées républicaines, explique l'attention qu'y portent les pouvoirs publics. Pour le reste, cette fronde d'une fraction des habitants des Crottes s'exprime le plus souvent en famille. Honoré-Auguste et Antoinette Philip sont suivis par leurs deux filles, Marie et Philippine, âgées de vingt et vingt et un ans. La femme de Pierre Albrand, Madeleine, née David, mais aussi sa fille Clara, font partie des signataires. Louis Lagier, cultivateur âgé de 65 ans, homonyme du curé, mais sans lien avec lui, signe en même temps que sa femme, Rose Avon. Ce sont également des familles bien établies dans la commune, dispersées entre le chef-lieu et plusieurs hameaux, dont les piliers ont atteint l'âge mûr, à l'image de Joachim qui a alors quarante-trois ans.

Cette pétition est accompagnée de lettres personnelles adressées au préfet pour dénoncer les activités de l'abbé Lagier. Quatre ont été conservées. Leurs auteurs ont tous signé la pétition de mars. L'une d'entre elles est signée Joachim Martin. Elle couvre quatre pleines pages et multiplie les attaques contre l'abbé Lagier, accusé d'erreurs dans sa pratique de la médecine et de mœurs dissolues[29], une autre émane de Baptiste Didier, du hameau de Montmiral, neveu de l'abbé Didier qui fut curé de Saint-André. Il accuse l'abbé Lagier d'avoir cherché à intimider son épouse au confessionnal[30]. Marguerite Pellat, boulangère et femme de l'un des chefs du parti républicain, prend également la plume pour dénoncer, dans une langue très incorrecte, le fait que l'abbé Lagier aurait trahi à son propos le secret de la confession[31]. Louis Lagier incrimine également les pratiques médicales du curé et l'influence excessive qu'il exerce sur les femmes du village[32]. Les signataires de ces lettres comme de la pétition dessinent les contours d'un parti anticlérical contre lequel se dressent «les cléricaux», menés par Joseph Roman, dont on connaît les principes monarchistes. Ce dernier prend la plume le 23 octobre 1884 en compagnie de son adjoint Jean-Pierre Chevallier, pour écrire à l'évêque de Gap, nouvellement installé, et prendre la défense de l'abbé Lagier, dénonçant les attaques lancées contre lui par certains habitants de la commune :

> Les habitants de la commune des Crottes ont l'honneur d'avoir pour curé depuis près de quatorze ans M. l'abbé Lagier qu'ils ont considéré jusqu'à ce jour comme un bon et digne pasteur. Les populations l'estiment comme un prêtre zélé, charitable, remplissant avec sagesse et persévérance les fonctions de son ministère ; aucune imputation ne s'est élevée jusqu'ici contre sa conduite et ses mœurs. La paroisse espérait que vous voudriez le lui conserver encore.
>
> Un avis que nous avons reçu depuis quelques jours nous a fait connaître que des dénonciations anonymes et des démarches individuelles avaient été tentées dernièrement auprès de Votre Grandeur pour obtenir son changement. Les auteurs de ces démarches aussi bien que de ces dénonciations sont connus ; les seconds ont caché soigneusement leur nom de peur de recevoir des démentis publics de la part de toute une paroisse ; les premiers ont fait ces démarches dans le plus profond secret, affectant pour mieux tromper des sentiments chrétiens qui ne sont pas les leurs, et sachant bien que si la dénonciation anonyme est généralement méprisée, il reste toujours quelque chose des calomnies verbales[33].

La pétition adressée au ministre n'est pas la seule à avoir été rédigée. Plusieurs autres ont été envoyées à l'évêché de Gap, qui est alors vacant. Mgr Gouzot, ancien curé archiprêtre de Périgueux, a bien été nommé évêque de Gap le 10 novembre 1883, mais il ne prend possession de son siège qu'en mai 1884. Le sous-préfet d'Embrun dit du reste, dans une lettre au préfet, attendre l'installation de l'évêque pour s'entretenir avec lui du déplacement de l'abbé Lagier. Il ne parvient pas à ses fins. La mobilisation en faveur du curé, orchestrée par Joseph Roman, a permis de sauver l'abbé Lagier. Cependant, la campagne contre lui se poursuit toujours par voie de pétitions. Celles-ci n'ont malheureusement pas été retrouvées, mais l'une d'entre elles, plus tardive, est évoquée par le maire des Crottes dans une lettre au préfet du 28 septembre 1885. Étienne Vallet raconte en effet comment, au cours d'une séance du conseil municipal tenue le 31 août, Joseph Roman s'en est pris à son successeur, lui reprochant d'avoir signé une pétition contre le curé sans avoir pris avis du conseil. Vallet précise au préfet : « Je répondis à M. Roman que j'avais mes motifs pour demander le remplacement de M. le curé, que je n'avais pas besoin de l'autorisation du conseil municipal et que mon droit de signer la susdite pétition faite par de nombreux paroissiens de M. le curé, était indéniable[34]. » L'affaire ne s'arrête pas là puisque Joseph Roman aurait suscité après coup la rédaction d'un procès-verbal de délibération dirigée contre le maire et prenant le parti du curé que plusieurs conseillers signent[35]. La question se déplace donc à nouveau sur le terrain politique et oppose les deux camps déjà repérés, cléricaux menés par Joseph Roman et Jean-Pierre Chevallier d'un côté, anticléricaux derrière le maire Étienne Vallet de l'autre.

La mobilisation d'une partie des habitants des Crottes finit par payer. L'abbé Lagier est en effet nommé en 1886 desservant de Saint-Irénée de Châteauroux (actuellement Châteauroux-les-Alpes). Il y reste six ans puis parvient à obtenir la cure d'Aiguilles dans le Queyras, sans que cette nomination ne rencontre la moindre opposition de la part de l'évêque ou du préfet. L'administration des cultes se souvient cependant de la crise survenue quelques années plus tôt. Son dossier porte en effet : « Signalé pour troubles causés dans sa paroisse des Crottes[36]. » Placé en position de retraite au 1er novembre 1902, il s'établit à Guillestre où il meurt le 30 mai 1908.

Église et médecine

Au détour d'une planche, Joachim Martin met l'accent sur une réalité assez répandue au XIXe siècle, à savoir l'usage de la médecine par le clergé. L'abbé Lagier a en effet des talents médicaux que le menuisier reconnaît : « Notre curé [...] est à dire vrai un brave homme bon médecin et pas cher rend des grands services au pays. » Il est vrai que la question médicale affleure sous la plume de Joachim. Il évoque sa femme malade, sa sœur qui dut être amputée d'une jambe. Lui-même se présente comme un « être chétif, malade et sourd », allusion à sa petite taille que l'on peut aussi déduire de celle de ses fils, mesurant 1,53 mètre. Mais sa femme est aussi très petite, ne mesurant que 1,30 mètre. On retrouve encore sous sa plume une femme infirme, l'épouse du fossoyeur dont la fille est accusée d'infanticide. Enfin ce sont les enfants de l'ancien maire Philip qui sont décrits comme atteints de problèmes physiques : « Fille aînée goitre, 2ème boiteuse, 3ème fille muette sourde, garçon muet et sourd. » Ces défauts ou ces infirmités, notamment le goitre, sont typiquement liés à l'environnement montagnard qui est le sien. La population est partiellement touchée par ce que l'on appelle communément le « crétinisme des Alpes », dû non pas à une quelconque consanguinité comme on le pense parfois, mais à la déficience d'iode qui conduit notamment à des phénomènes de rachitisme ou à des goitres qui sont liés à une hypothyroïdie, provoquée par une faible consommation de sel. Ces problèmes de santé préoccupent toute la communauté villageoise et expliquent l'engouement qui a pu initialement entourer l'arrivée d'un curé se présentant également comme médecin.

Au début des années 1880, Joachim est très critique à l'égard de son curé mais il admet qu'il a une utilité sociale comme dispensateur de soins. Il exerce une mission charitable traditionnellement dévolue à l'Église, le prêtre appelé au chevet des mourants pouvant à l'occasion être amené à donner des soins. Le phénomène est très répandu. Une statistique de 1861 portant sur 32 département a permis d'identifier 853 « guérisseurs », non médecins, parmi lesquels 163 étaient prêtres[37]. Pour les médecins, il s'agit d'un exercice illégal de la médecine qui doit conduire les prêtres devant les tribunaux. Mais, au regard du phénomène, les procès sont rares. Entre 1854 et 1857, sur 121 délits commis par des prêtres en France, onze relevaient de l'exercice illégal de la médecine, ce qui signifie que les ecclésiastiques sont rarement poursuivis pour ce motif, surtout jusqu'aux années 1880. Ils bénéficient de la protection de la population tandis que les autorités publiques ferment les yeux. Il arrive même que les prêtres poursuivis soient relaxés, à l'image de l'abbé Roux, jugé à Grenoble en 1894, reconnu coupable d'exercice illégal de la médecine mais qui n'est pas condamné, le tribunal considérant « qu'il n'a fait de mal à personne[38] ».

Il est à l'époque de notoriété courante que l'abbé Lagier exerce la médecine. Il a même obtenu de la municipalité une indemnité supplémentaire pour cela, ce qu'explique son successeur lorsque cette indemnité est diminuée, et ce que confirment à mots couverts les conseillers municipaux qui tentent de justifier cette baisse, sans évidemment avouer que la commune rémunérait le curé pour ses soins. Il est vrai que le département des Hautes-Alpes est l'un des moins bien pourvus dans le domaine de l'encadrement médical. En 1881, il ne dispose en moyenne que d'un médecin pour plus de 5 000 habitants alors que la moyenne nationale est d'un médecin pour 2 537 habitants[39]. Le plus proche est alors à Embrun, où il n'y a qu'un docteur. Le conseil municipal s'était ému de cette situation, délibérant sur la nécessité que s'installe un deuxième médecin, mais étant dans l'incapacité de trouver les 115 francs qui auraient été nécessaires pour l'indemniser[40]. On préfère la proximité du curé dont les soins sont également, si l'on en croit Joachim, moins onéreux que ceux du médecin officiel. Le curé a ainsi acquis une autorité double et si les habitants délaissent pour certains l'église, ils ont besoin du médecin, ce que Joachim traduit de manière crue en expliquant que les hommes de la commune devaient fermer les yeux sur ses frasques : « Les pauvres maris cocus sont obligés de se taire parce qu'il est médecin. »

Quatre ans plus tard, alors qu'il est en conflit avec l'abbé Lagier et vient de signer la pétition pour obtenir son renvoi, Joachim a un jugement beaucoup plus sévère sur ses talents de médecin. Il l'accuse en effet d'avoir commis des erreurs qui seraient à l'origine de la mort de plusieurs de ses proches. Dans la lettre qu'il adresse au préfet pour obtenir le départ du curé, il donne à ce propos des exemples très précis[41] :

L'an 1874, 18 décembre, mon fils aîné âgé de 31 mois fut pris d'un mal d'yeux. Cet ecclésiastique se faisant passer pour célèbre oculiste fut appelé par la femme. Après un court examen certifia que cela, dans 8 jours il sera guéri. Le lendemain à 8 heures arrive le fameux oculiste avec une fiole contenant une dissolution d'oxyde de zinc et en laisse tomber quelques gouttes dans les yeux du pauvre enfant. Quatre jours après l'œil droit était tout enflé et l'œil gauche avait complètement disparu. J'ai pu en les lavant souvent avec de l'eau fraîche lui sauver le droit et laisser mon oculiste de côté.

Ce fils ne peut être que Jean-Baptiste né en juin 1873 qui aurait donc eu dix-huit mois en décembre 1874 et qui, effectivement, a perdu l'usage de l'œil gauche dans son enfance.

Joachim désigne une autre victime du curé en la personne de sa propre sœur, Émilie, qui avait dû être amputée après que sa jambe gauche se fut infectée. Joachim nous en donne une explication :

> Plus tard, 1876, fin juillet, dame Philip, ma sœur, se retirant de Marseille avec une petite enflure au pied, dès son arrivée, le célèbre chirurgien se présente, regarde et ordonne de lui encaisser le pied et jambe dans la bouse de vache et lui tenir 8 jours sans discontinuer. Tout cela n'a abouti qu'à une amputation de la jambe à sa sortie de l'hôpital.

Il accuse enfin l'abbé Lagier d'être à l'origine de la mort de son père :

> 6 mois avant cette mort j'avais vu mourir mon père sans savoir de quoi et à quoi attribuer cette perte douloureuse. Mon père n'a fait qu'un mois et demi de maladie. Homme assez robuste, jamais malade, 60 ans. Son seul docteur n'a été que le curé Lagier et M. le docteur Chevallier deux fois qui y a perdu son latin sur le genre de maladie. Je lui avais promis de lui faire faire l'autopsie. Les moyens m'ont manqué en ce moment. Mon père a rendu son dernier soupir en me disant que cet homme était la perte de toute notre famille.

Le décès de son père et la responsabilité attribuée au prêtre font rejaillir les circonstances de la mort de son frère quelques années plus tôt. Joachim écrit, citant son père :

Il reconnaissait avoir tort d'avoir eu tant de confiance à cet homme pour traiter mon frère cadet mort en 1872 à 16 ans, pour lui avoir appliqué les sangsues à un garçon atteint d'anémie. C'est dommage. Forte tête et allait prendre son brevet d'instituteur.

Enfin, Joachim a fait lui-même l'expérience des méthodes du curé :

> Au mois de décembre 1879, je pris un abcès au bras droit. Ne trouvant pas de docteur à Embrun, tous deux absents, le curé fut appelé par la femme. Il regarde, touche. Sans me prévenir, il m'a envoyé trois coups de lancette dans la main. Tout le résultat a été de me laisser la main droite estropiée.

Rien ne prouve évidemment que les accusations formulées par Joachim à l'encontre du curé soient fondées, mais elles démontrent une forme d'obsession qui est peut-être à l'origine de sa volonté de parler. Il ne s'exprime pas à ce sujet sur les planches retrouvées, mais rappelons que d'autres écrits existent sans doute. Les événements qu'il relate sont très proches du moment de l'écriture sous les parquets. C'est sans doute l'un des lourds secrets qu'il portait en lui et qu'il voulait ainsi révéler. Il finit par le coucher noir sur blanc dans une lettre officielle, sans que cette démarche ait eu quelque conséquence, sinon à terme l'éloignement de l'abbé Lagier.

Dans la dénonciation des pratiques médicales de l'abbé Lagier, Joachim est loin d'être isolé. La femme du boulanger, Marguerite Pellat, l'accuse ainsi d'être à l'origine de la mort de trois de ses enfants auxquels il aurait fait administrer des médicaments[42]. Louis Lagier explique au préfet qu'en matière de médecine, l'abbé Lagier fait «plus de mal que de bien» et il l'implique dans la mort de deux de ses fils, l'un âgé de 8 ans, l'autre de 27, sortant du service militaire anémié et auquel il aurait prescrit l'usage de sangsues. Toujours selon Louis Lagier, un médecin d'Embrun finalement consulté lui aurait déclaré : «C'est le curé qui vous a tué votre fils.» En pleine tension anticléricale, de tels propos peuvent relever de l'exagération. Le faisceau convergent autour du curé est néanmoins troublant.

La réaction du sous-préfet à ces accusations est un modèle du genre. Il a lui aussi été troublé par les critiques proférées à l'encontre du curé, mais se retranche aussitôt derrière l'ancienneté des faits et surtout relève qu'ils ne «portent nullement atteinte à la politique gouvernementale et à la bonne administration». Autrement dit, le sous-préfet ferme les yeux sur les faits reprochés au curé. Il se contente d'annoncer qu'il transmettra le dossier au procureur, mais finit par envisager la mutation de l'abbé Lagier lorsqu'un nouvel évêque aura été nommé à Gap[43]. Cette réaction est d'autant plus surprenante que, quelques mois plus tôt, le même sous-préfet dénonçait le curé comme un «prêtre fanatique, ennemi militant de la République[44]». La peur du scandale que révélerait l'implication du curé le conduit à faire machine arrière. «Cet ecclésiastique, bien connu pour ses opinions antirépublicaines a lutté avec ardeur, il est vrai, contre nos institutions; mais j'ai constaté dimanche dernier, 13 avril, lors des dernières élections au conseil général, que contrairement aux habitudes de son caractère violent et exalté, en ce qui touche la politique, M. Lagier s'est montré calme, réservé et n'a exercé aucune influence sur les électeurs qui ont pu voter librement.» Un retournement spectaculaire qui permet à l'abbé Lagier de sauver son poste pour quelque temps et de n'être nullement inquiété pour les faits qui lui étaient reprochés. Il est vrai qu'en l'absence d'autopsie, toute action en justice aurait été vaine.

Mais l'antagonisme entre Joachim et l'abbé Lagier ne s'arrête pas là. Le menuisier formule une dernière accusation contre le curé. Il aurait été l'amant de sa sœur, Émilie, après avoir été à l'origine de son amputation :

> Dame Philip est venue s'installer dans un magasin qui n'était séparé du presbytère que par un mur assez mince. Dame Philip a mis au monde le 16 mai 1882 une fille dont personne ne connaît le père, s'étant séparée de son mari depuis 10 à 11 ans. Je ne crois pas qu'il soit venu de Paris où il travaille pour faire son devoir conjugal. Dame Philip est décédée de chagrin le 15 juillet de même année après avoir essuyé toutes les misères que peut faire un être vindicatif ; tout cela demande vengeance.

L'état civil confirme qu'Émilie a bien mis au monde une fille prénommée Émilie Blanche Marguerite, née le 17 mai 1882 et morte un mois plus tard[45]. La mère meurt à son tour, à 35 ans, le 15 juillet 1882. Joachim rend l'abbé Lagier responsable de ces morts, d'où son appel à la vengeance. Ces mots sont écrits quelques mois après qu'il a posé le plancher au château de Picomtal. Sa haine contre le curé s'est alors exacerbée et explique ses prises de position ultérieures.

Les charges anticléricales observées dans les années 1880 accompagnent un déclin de la pratique religieuse, surtout perceptible, comme on l'a vu, chez les hommes. Pour autant, l'attachement à l'Église reste réel, comme en témoigne la réaction des Crottes au moment du vote de la loi de Séparation. Une grande majorité de la population, soit 121 hommes et 126 femmes, a signé la pétition contre la loi de séparation. 132 hommes ont en outre voté pour le candidat opposé à la loi aux élections de 1906, 34 optant pour le candidat qui y était favorable. Enfin, sur 128 familles que compte en 1906 la paroisse Saint-Laurent, 10 seulement ont refusé de souscrire au denier de l'Église, neuf autres en étant exemptées comme indigentes. 109 familles ont donc versé 512 francs pour l'entretien du curé, ce qui représente une moyenne légèrement inférieure à 5 francs par famille et par an[46]. L'attachement au prêtre, comme dispensateur des sacrements et acteur d'une vie cultuelle animée reste donc fort. Joachim est mort depuis quelques années au moment des lois laïques des débuts du XXe siècle, mais la tradition d'anticléricalisme qu'il a manifestée au cours de sa vie est reprise par son fils resté aux Crottes, Jean-Baptiste, dont le refus d'entrer dans une église est resté légendaire. Sans doute a-t-il puisé dans son enfance et dans les propos entendus de la bouche de son père contre le curé le fondement de cet anticléricalisme viscéral.

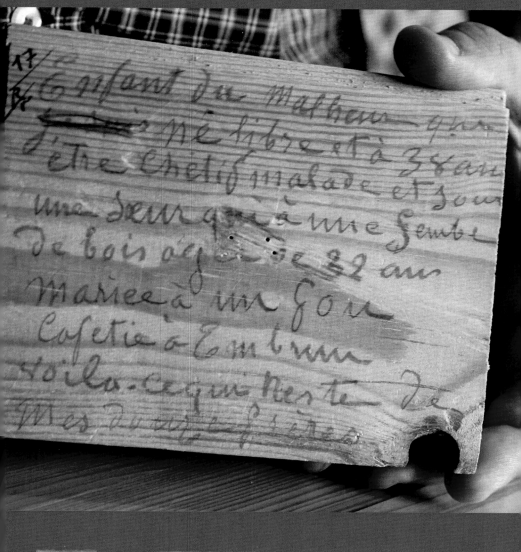

Planches sur lesquelles Joachim Martin a écrit son témoignage. Elles ont été retirées du parquet dans plusieurs pièces du château de Picomtal à l'occasion de travaux de rénovation au début des années 2000.

LES CROTTES (Hautes-Alpes) - Vue Générale
Vallée de la Durance - Dans le fond ; Embrun et le massif du Pelvoux

Vue du village des Crottes depuis la montagne. On aperçoit l'église mais aussi, sur la gauche, la maison du docteur Chevallier, l'ancien relais de poste. Le chemin qui longe le village est le barry correspondant au chemin de ronde des remparts.

LES ALPES. - 314. - Les CROTTES (800m) - Château de PICONTAL

Le château de Picomtal, vers 1900.

Un paysan fauchant l'herbe devant le château de Picomtal.

nous
avons couché
Simanche dernier
cette grange

V. Fournier, édit., Gap

315. - Environs d'Embru

IV

OTTES. - Entrée du Village

V

Vue de l'androne des estables, rue dans laquelle vivait
Joachim Martin.

Détail d'une fresque de la chapelle du
château de Picomtal consacrée à saint
Louis.

Isabelle Reynaud, épouse de Joseph
Roman, propriétaire du château de
Picomtal, a peint cette scène. Elle s'y
représente avec ses trois enfants et son
mari, sous les traits d'un chevalier (au
premier plan, le glaive à la main).

VII

Portrait de Jean-Baptiste Martin, dit le Borgne, né en 1873. Jean-Baptiste a perdu l'usage de son œil gauche. ses écrits, Joachim, père de Jean-Baptiste, accuse le curé des Crottes, qui se livrait fréquemment à des médicaux, d'en être responsable.

CHAPITRE IX

LA FIN D'UN MONDE

Joachim est finalement le témoin d'un monde en mutation. Il vit concrètement la « fin des terroirs » naguère analysée par l'historien américain Eugen Weber, qui scrutait les mutations des campagnes françaises en montrant comment leur modernisation avait accompagné l'arrivée de la République et l'intégration des populations à la nation par le biais de l'école, mais aussi du service militaire[1]. Pour Joachim Martin, l'avènement de la République a contribué à distendre les liens qui le retenaient à l'Église catholique. Cette émancipation dans laquelle il entraîne sa femme n'ira cependant pas jusqu'à la rupture complète. Symboliquement, l'arrivée concomitante du chemin de fer aura pesé pour matérialiser ce changement de modèle. Cette arrivée a été plus tardive dans les Hautes-Alpes que dans le reste des campagnes françaises. Elle a accéléré un exode rural déjà important

tout en permettant d'acheminer des produits de toutes
sortes dans la région, au risque de déstabiliser l'économie
locale. Joachim assiste peu après à la mise en place de
l'école gratuite, laïque et obligatoire, censée façonner des
citoyens attachés à leur patrie comme à la République.
En 1889, il sera le témoin de la généralisation du service
militaire qui conduit tous les jeunes Français en bonne
santé à l'armée, autre lieu d'intégration à la nation française. Les fils de paysans et d'artisans y côtoient ceux du
châtelain. Certes, la IIIe République naissante est secouée
de crises à la fin du siècle (affaire Boulanger, crise de
Panama, affaire Dreyfus), mais les fondements posés au
début des années 1880 lui permettent de les surmonter
et d'être acceptée par la très grande majorité des Français,
ce que symbolisera l'union sacrée au moment de l'entrée
en guerre en août 1914.

La dispersion de la famille Martin

Après s'être saisi de son crayon pour se confier, et
avoir pris la plume pour exposer ses griefs auprès des
autorités préfectorales, Joachim a apparemment retrouvé
une forme d'anonymat qui lui sied. Il continue au début
des années 1890 à travailler au château de Picomtal où
plus que jamais s'organise la résistance aux changements
en cours. Joachim a décidé de s'en aller avant que de
nouvelles transformations politiques n'affectent le pays
au début du XXe siècle. Lorsqu'il meurt en 1897, il est
toujours qualifié par son métier. Il est et demeure le

menuisier des Crottes, même si son fils a pris le relais. Il lègue à ses enfants un bien modeste, à peu près équivalent à celui que son père avait laissé vingt ans plus tôt, soit un ensemble de terres et deux maisons évalués à 500 francs. Les enfants de Joachim ont connu des destins variés. Mais trois sur quatre quittent les Crottes. C'est désormais loin des Hautes-Alpes qu'ils cherchent à trouver leur voie, même s'ils tentent de maintenir le lien avec leur village natal. Ils illustrent à leur façon l'exode qui marque la région au tournant du siècle.

L'aînée, Noélie Henriette, a quitté les Crottes à une époque indéterminée, très vraisemblablement pour Marseille, suivant en cela le circuit traditionnel des migrants partis du village. Elle s'est mariée à Lucien Marius Bonifay, né à Marseille le 2 novembre 1868, fils d'un jardinier, qui fut lui-même employé comme jardinier à Six-Fours dans le Var. Le couple s'y est installé et y a eu ses deux premiers enfants, avant de déménager à La Seyne, où Lucien est employé comme ouvrier riveur à l'arsenal. Il y sera affecté comme ouvrier spécial à partir de 1915[2]. Ils ont eu au total au moins trois enfants qui sont donc les petits-enfants de Joachim. L'aîné, Ernest Fernand, né à Six-Fours le 4 septembre 1893[3], est élevé chez ses grands-parents au Crottes où il vit toujours en 1913, au moment du conseil de révision. Il est alors qualifié de cultivateur. Il fait son service militaire au 11e régiment de hussards, puis passe au train des équipages. Entré en guerre en août 1914, il est affecté en 1915 dans l'artillerie. Au sortir de la guerre, il épouse à

Marseille, le 15 novembre 1919, Lucie Delatte, tout en exerçant une reconversion professionnelle. Élève mécanicien, il intègre la Compagnie de chemin de fer PLM et s'installe en 1928 à Paris, 119 boulevard de l'Hôpital, à proximité de la gare d'Austerlitz. Rappelé au service en septembre 1939, il est affecté spécial à la SNCF pour la région sud. Démobilisé en janvier 1943, il retourne à Paris[4], puis on le retrouve à La Seyne où il meurt le 22 juillet 1953. Sa sœur cadette, Laurentia Séraphine Claire, naît elle aussi à Six-Fours, le 17 mai 1895. Elle épouse à Cassis le 22 avril 1922 Charles Reymond Frédéric Roux, dont elle aura au moins une fille, Madeleine Félicie Laurentine, mariée à Gabriel Marcel Joseph Gamonet. Une troisième fille, Denise Madeleine, naît le 16 mai 1897 à La Seyne. Elle épouse à Antibes le 27 septembre 1928 René André Delitraz et meurt à Marseille le 14 octobre 1947[5]. Leur mère, Noélie meurt à plus de 80 ans à La Seyne, le 3 septembre 1952[6].

Le cadet, Jean-Baptiste demeure aux Crottes. Exempté de service militaire à cause de la perte de son œil gauche, il est probablement l'un des rares hommes de son âge à ne pas avoir participé à la Grande Guerre. Resté célibataire, il exerce le métier d'ébéniste tout en continuant à cultiver sa vigne et ses quelques ares de terre. Il s'adonne aussi à la chasse, ce qui lui vaudra le surnom de «Martin de la Garenne». Fréquentant volontiers les cafés de son village, il aimait surtout se réfugier dans le cabanon construit en haut de sa vigne. Après avoir traversé deux guerres et connu trois républiques, il meurt aux Crottes le 1ᵉʳ mai 1965, à l'âge de 92 ans. Conformément à ses vœux, il est enterré civilement dans le cimetière du village où sa tombe ne porte aucun signe religieux. Ainsi, jusque dans la mort, Jean-Baptiste a été fidèle au combat anticlérical amorcé par son père. Et sans doute le souvenir des récits de Joachim évoquant la manière dont il avait perdu un œil, rendant l'abbé Lagier responsable de cette infirmité, n'a pas peu contribué à enraciner ce sentiment de rejet du clergé.

Quant à Joseph Casimir Édouard, il commence lui aussi à travailler avec son père comme ébéniste. C'est en tout cas l'état qu'il déclare au moment du conseil de révision en 1895. Ajourné pour défaut de taille – il mesure 1,53 mètre –, il est employé à Guillestre chez la veuve Carle à partir de 1899. Il épouse alors à Venterol (Alpes-de-Haute-Provence), le 15 septembre 1899, Marie Eugénie Tourniaire avec laquelle il a un fils, né à Guillestre le 30 mars 1900, prénommé Marcel Jean Désiré[7]. Puis il émigre aux États-Unis et passe trois ans dans le Missouri, à Saint-Louis, de 1905 à 1908, avant de revenir aux Crottes. En 1909, il s'installe à Aix-en-Provence. Reconnu bon pour le service armé le 26 novembre 1914, il est affecté au 112ᵉ, puis au 359ᵉ régiment d'infanterie, avant de passer au 2ᵉ groupe d'aviation en mars 1916. En novembre 1917, après l'entrée en guerre des États-Unis, il devient interprète auprès de l'armée américaine. Démobilisé en 1919, on le retrouve ensuite à Nevers où il meurt le 15 août 1963, à 88 ans. Son fils, Marcel Jean Désiré Casimir, tourneur mécanicien à 20 ans, effectue son service militaire dans le 1ᵉʳ groupe d'ouvriers d'aviation, puis regagne les Crottes en 1922[8]. À peine plus grand que son père, puisqu'il mesure 1,55 mètre, il s'est ensuite installé à Châtillon-sur-Seine, qui vibre toujours du souvenir du maréchal d'Empire Marmont; il y est mort le 26 mars 1967.

Les descendants de Joseph Roman

Joachim Martin et Joseph Roman sont issus de deux mondes différents, mais ils appartiennent à la même génération, celle de parents dont les enfants vont subir de plein fouet la Grande Guerre. Joachim, mort en 1897, ne l'a pas connue. Joseph Roman lui survit, alors que ses trois fils y ont pris part, comme l'un des fils de Joachim. Joseph Roman y perd un fils et sa raison de vivre. Il se mure dans un silence dont il ne sortira plus guère jusqu'à sa mort, en 1924. Il continue toutefois de venir régulièrement au château de Picomtal. Malgré la guerre et l'inflation qu'elle a provoquée, affectant fortement les rentiers, Joseph Roman demeure un grand notable dont la fortune est estimée au moment de sa mort à plus d'un million de francs. Sa femme, Isabelle, lui survit, et continue à peindre et à dessiner dans l'atelier qu'elle a installé au château. Elle vit entre son domicile de Gap et le château de Picomtal, en compagnie de sa fille Élisabeth, également dessinatrice, restée célibataire et qui sera la gardienne du château. Isabelle Roman meurt à Gap le 2 mai 1943, à l'âge de 90 ans. Son autre fille, Lydie, a épousé un notaire de Grenoble en 1905, Me Henri Joncoeur-Montrosier. Elle a eu cinq enfants.

L'aîné des fils de Joseph, Bernard Hippolyte, élève des dominicains d'abord à Oullins, puis à Arcueil, à l'école Albert-le-Grand, prépare Saint-Cyr au cours de l'année 1901-1902[9], avant de s'engager dans l'armée à vingt ans, comme simple soldat, pour quatre ans[10]. Il est rapidement brigadier fourrier en mai 1903, puis est promu maréchal des logis en novembre 1903. Il rempile en 1906, intègre l'école de cavalerie de Saumur, passe au 6e régiment de hussards, et devient sous-lieutenant au 2e régiment de hussards en avril 1907, puis en avril 1909, lieutenant au 5e régiment de cuirassiers à pied. Il participe alors à la lutte contre les grèves qui se développent dans le pays et est blessé au cours des affrontements entre l'armée et les grévistes[11]. Il est toujours lieutenant au moment de l'entrée en guerre contre l'Allemagne, et est blessé dès les premiers combats, d'une balle qui touche le haut du poumon[12]. Cité à l'ordre de l'armée en août, il reprend du service à la fin du mois et est fait chevalier de la légion d'honneur en septembre 1914. Promu capitaine en 1916, il est à nouveau blessé en juillet 1917, par un éclat d'obus, lors de combats menés dans le bois des Zouaves, sur la commune de Sillery dans la Marne[13]. Il termine la guerre décoré de la croix de guerre avec palme, puis est promu officier de la légion d'honneur en 1920. Il fait alors partie des troupes d'occupation stationnées en Rhénanie, puis participe à partir de mai 1923 à l'occupation de la Ruhr. C'est alors qu'il épouse Yvonne Vernet. Chef d'escadron en septembre 1928, il est affecté au 5ᵉ régiment de spahis tunisiens en février 1929, et envoyé en Syrie, puis rentre en France, où il est affecté à Senlis au 4ᵉ régiment de spahis marocains en décembre 1930. Il est promu lieutenant-colonel en décembre 1936 et commande encore le 4ᵉ régiment de spahis au début de la Seconde Guerre mondiale. Au printemps 1940, il est envoyé en Lorraine, où il combat contre les Allemands avant de déposer les armes le 22 juin. Fait prisonnier, il est interné en Carinthie, puis en Westphalie, avant de revenir en France au bout de dix-huit mois de captivité. Il se retire alors à Sisteron, dans son château de Servoules, où il manifeste pendant la guerre une très grande fidélité au maréchal Pétain, s'engageant dans la Légion des combattants français dont il devient un des chefs de file dans les Basses-Alpes[14]. À la Libération, il est arrêté, en même temps que son fils Louis. Jugé pour collaboration, il est condamné aux travaux forcés à perpétuité, à l'indignité nationale et à la confiscation de ses biens[15]. Son fils est en revanche acquitté, après avoir passé plusieurs mois en détention. Enfermé à la prison des Baumettes, le colonel Roman est libéré en 1951. Il retrouve alors son château de Servoules, où il meurt en mai 1972. Son fils Louis en hérite. Marié à Marie-Françoise Liot de Nortbécourt, avec laquelle il a eu cinq enfants, Louis Roman-Amat, est mort à 94 ans, le 24 mai 2016.

Son frère cadet, Jacques Joseph Roman, né le 1ᵉʳ juillet 1886 à Gap, choisit d'émigrer en Amérique. Il s'embarque à Hambourg sur le paquebot Prinz August Wilhelm en mai 1905 et s'installe à Mexico comme employé de commerce[16]. Il revient en France en 1907 pour effectuer son service militaire qu'il achève comme caporal en 1909 avant de repartir vers le Mexique. Il en est rappelé en septembre 1914 et est promu sergent en janvier 1915, avant de participer aux combats de Firey au cours desquels il est tué le 5 avril[17].

Comme ses frères aînés, Jean-Charles Roman a obtenu le droit d'accoler à son patronyme le nom d'Amat porté par sa grand-mère paternelle et éteint à la suite de la mort d'Eudoxie d'Amat qui avait souhaité avant son décès que son nom soit transmis à ses neveux. Les aînés se font désormais appeler Roman-Amat, le benjamin optant lui pour Roman d'Amat. Il a suivi un parcours plus proche de celui de son père que de ses frères. À vingt ans, il est effet reçu 19e sur 20 au concours de l'École nationale des chartes. Il en ressort en 1910 avec le titre d'archiviste paléographe, sa thèse étant consacrée aux *Chartes de l'ordre dauphinois et provençal de Chalais*. Elle est publiée en 1923[18]. À sa sortie de l'École, il est incorporé comme soldat de 2e classe, puis promu brigadier le 19 juillet 1911, et devient élève officier le 1er octobre 1911. Il termine son service militaire comme sous-lieutenant de réserve le 25 mars 1912[19]. Après son service, il est nommé à la Bibliothèque nationale comme conservateur. Il va y faire toute sa carrière, cependant interrompue par la guerre. Affecté au 13e régiment de dragons, il est mobilisé en août 1914, connaît alors son premier assaut, puis passe au 13e régiment de dragons en avril 1916 avant d'être promu lieutenant[20]. Détaché à l'artillerie d'assaut le 12 juillet 1917, il est démobilisé en juillet 1919, avec la croix de guerre. Affecté au 506e régiment de chars lourds en mai 1923, il devient capitaine de réserve en juillet 1925. Entre-temps, il a repris son travail à la Bibliothèque nationale, et mène une activité d'historien dans le prolongement de celle de son père, collaborant au *Dictionnaire de Biographie française* dont il devient le codirecteur en 1940. Il se pique aussi de littérature et publie en feuilleton dans *L'Européen* en 1935 *Font-Chabat* dont l'intrigue se situe au mont Morgon, puis en 1937, en deux livraisons, un roman intitulé *Malespine*, qui est illustré par Léon Fauret. Il a également laissé un manuscrit inédit assez sombre qui pourrait être prochainement publié par la Société d'Études des Hautes-Alpes. Jean-Charles s'est marié à Versailles en mars 1920 avec Pierrette Jacqueline Frédérique Lucie Thomas, née le 24 juin 1898 à Nepuoi, en Nouvelle-Calédonie. Bachelière en 1916[21], elle vit alors chez sa grand-mère à Versailles où le mariage se déroule. Le couple a eu trois enfants: deux fils, Patrice, né en 1921 et Jean-Gabriel né en 1923, et une fille: Béatrice, née en 1924. Jean-Charles et son épouse habitent désormais dans l'ancienne cité des rois de France. Il prolonge par ailleurs les engagements politiques de son père: il est ainsi membre de la Ligue des Croix-de-feu, créée par le colonel de La Rocque en 1928, et qui s'affirme comme une des principales ligues d'extrême droite au cœur des années 1930. Jean-Charles Roman d'Amat adhère, lors de sa fondation, au Parti social français également créé par le colonel de La Rocque, après la dissolution de la Ligue, le PSF devenant le principal parti politique de France à la veille de la guerre. Jean-Charles assure même les fonctions de président de la section versaillaise du parti. Il perd sa première femme en 1936 et se remarie peu après. Il aura un fils prénommé François, né en 1941. À nouveau mobilisé en septembre 1939, il participe à la campagne de France avant d'être démobilisé et de reprendre ses activités à la Bibliothèque nationale comme conservateur adjoint, attaché au département des entrées[22]. C'est au cours de la guerre, en 1943, que meurt sa mère. Il prend sa retraite en 1951, tout en continuant à s'occuper du *Dictionnaire de Biographie française*.

Le château en héritage

L'attachement de Joseph Roman au château de Picomtal est tel qu'il a tout entrepris pour empêcher qu'il ne soit vendu à sa mort. Ses papiers conservent les différentes formules qu'il a élaborées pour parvenir à ce que le château revienne à l'aîné de ses petits-fils, en l'occurrence Patrice Roman d'Amat, né rappelons-le trois ans avant la mort de Joseph. Ce dernier dispose alors d'un capital évalué à 1,6 million de francs. Sa fortune est composée principalement du château de Picomtal et des terres qui l'entourent, évalués à 523 000 francs, d'une maison à Grenoble, 335 000 francs, de trois maisons à Gap, pour un total de 358 000 francs, de 170 000 francs en titres et de 75 000 francs en argent liquide, à quoi s'ajoutent 90 000 francs déjà versés à sa fille aînée en dot, le reste étant composé de tableaux, de mobilier et d'argenterie[23]. Un partage égal entre les enfants n'aurait pas permis de conserver le château. Joseph imagine donc le procédé suivant : il décide de disposer d'une partie de son héritage, ce que le droit l'autorise à faire, en faveur de son petit-fils, Patrice, qui reçoit ainsi la nue-propriété du château, l'usufruit étant attribué d'une part à son père, Jean-Charles, d'autre part à sa tante, Élisabeth. Mais, pour que cette opération soit réalisable, encore faut-il que la valeur du château soit sous-estimée, ce qui provoquera des litiges sans fin entre Jean-Charles et sa sœur Lydie dans les années suivantes. De fait, une estimation de septembre 1924 fait état de 285 000 francs, répartis entre 102 500 pour le château et le parc de 4 ha qui l'entoure, et 182 500 pour la ferme et les terres[24]. Enfin, Joseph Roman avait fait admettre par acte notarié non seulement que Patrice aurait la nue-propriété du domaine de Picomtal, son père et sa tante s'en partageant l'usufruit, mais encore qu'il recevrait à leur mort tous les biens en relevant, aussi bien les meubles, objets d'art, archives, que les terres et les bâtiments, son objectif étant bel et bien de maintenir l'intégrité du château et du domaine. Cette part d'usufruit a naturellement été comptabilisée lors de l'héritage, à hauteur de 142 500 francs, soit la moitié de la valeur estimée du domaine. Cette disposition a permis de conserver le château dans la famille au moins pendant encore plus de 70 ans.

À la mort de Joseph, le château continue donc à être occupé, une partie de l'année, par sa veuve Isabelle et sa fille Élisabeth, qui y vivent de mai à octobre. Elles habitent le reste du temps à Gap. Jean-Charles, qui vit à Versailles, revient régulièrement au château de Picomtal pendant les vacances d'été, laissant au village des Crottes le souvenir d'un hobereau distant, vêtu à l'ancienne et portant guêtres et culottes de cheval. Il incarne la résistance d'une France réactionnaire, attachée à ses privilèges, ou en tout cas aux marques de respect de la population locale. La distance entre le village et le château reste grande. Les villageois ne s'y rendent qu'exceptionnellement. Le châtelain pour sa part vient chaque dimanche en famille à l'église occuper le banc qui lui était traditionnellement réservé, jusqu'à ce qu'un curé du lieu, soucieux d'appliquer les réformes du concile Vatican II n'invite ses paroissiens à en prendre possession, s'attirant l'ire de Jean-Charles Roman d'Amat qui ne remet plus les pieds à l'église et en fait retirer des objets ou tableaux qu'il avait donnés à la paroisse. Il décède à Versailles le 19 mars 1976. Sa sœur Élisabeth est restée au château jusqu'à ce qu'elle soit placée dans une maison de long séjour à Moulins où elle est décédée en 2000, à l'âge de 106 ans.

En vertu du testament de Joseph Roman qui avait prévu que le château reviendrait à son petit-fils aîné, Patrice en a pris pleinement possession à la mort de son père, même si sa tante continuait aussi à y séjourner comme usufruitière. Il y est venu régulièrement. En 1997, Patrice Roman d'Amat décide de mettre en vente le château de Picomtal. Dans le même temps, il cède aux Archives départementales des Hautes-Alpes les archives de sa famille conservées au château. Il disperse enfin le mobilier au cours d'une vente publique. Le château est acquis par Jacques et Sharon Peureux qui entreprennent d'importants travaux de rénovation. Le château avait peu évolué depuis l'époque de Joseph. On s'était surtout contenté de réparer les brèches les plus visibles, comme ces éboulements évoqués par Béatrice Parise en 1947-1948[25]. Les arrière-petits-enfants de Joseph Roman passent encore parfois au château, mais le lien entretenu entre la famille Roman et les lieux s'est naturellement distendu.

Né vingt ans après son demi-frère, François d'Amat a lui aussi vécu avec son père Jean-Charles au château dans son enfance et y est venu régulièrement jusqu'à la mort de ce dernier. Mais en vertu de l'héritage prévu par Joseph Roman, il n'eut pas droit à une part du château, même si son père était parvenu à distraire en sa faveur quelques terres alentour. Il devait en revanche hériter de l'appartement versaillais de son père où il vécut, manifestant un goût extrême pour la vie mondaine. Marié à Chantal de Damas, avec laquelle il a eu deux fils, Charles César et Edward, il se fait appeler marquis d'Amat et se forge une généalogie qui en ferait l'héritier d'une lignée de famille d'ancienne noblesse, mêlant dans des souvenirs qu'il confie à la presse quelques éléments véridiques à des reconstructions mémorielles étonnantes[26]. Il est mort le 17 juillet 2010 à Versailles.

Aujourd'hui, le château de Picomtal se dresse au milieu d'une région qui a été profondément transformée depuis soixante ans. En 1952, EDF a lancé la construction du barrage de Serre-Ponçon, entraînant la reconstruction de deux villages, Savines dans les Hautes-Alpes et Ubaye dans les Basses-Alpes (aujourd'hui Alpes-de-Haute-Provence). Cet aménagement achevé en 1960 a impliqué la disparition de 2 825 hectares dont 660 cultivables et le déplacement de plus d'un millier de personnes[27]. L'inquiétude a été particulièrement vive à Savines, commune voisine des Crottes où l'on s'est aussi beaucoup inquiété de la construction du barrage, même s'il n'y a pas eu de manifestations violentes contre le projet. En revanche, les populations locales ont montré une solidarité face aux pouvoirs publics et à EDF afin d'obtenir les meilleures indemnisations possible, comme si la leçon de la résistance à l'administration des forêts quatre-vingts ans plus tôt avait été retenue. Achevé en 1960, le barrage de Serre-Ponçon sur la Durance a bouleversé le paysage mais a aussi donné naissance à de nouvelles activités touristiques dont profite à plein la région. Celle-ci a aussi bénéficié à partir des années 1960 de l'essor du tourisme blanc, incarné par la station des Orres située à peine à vingt minutes du château. Comme pour manifester sa volonté d'adaptation au monde moderne, le maire des Crottes a décidé la modification du nom de la commune. Les Crottes deviennent Crots en 1970. Ce changement a accompagné l'essor du village suscité par les activités touristiques, un village qui se développe, sort des limites des anciens remparts pour partir à l'assaut du flanc montagneux où s'installent notamment plusieurs petits immeubles de logements sociaux, tandis que dans les hameaux naguère abandonnés reprennent vie des chalets de montagne occupés par des estivants venus de Marseille.

La rénovation du château de Picomtal a aussi accompagné l'essor du tourisme suscité par les nouveaux atouts d'une région en plein renouveau. Les propriétaires, Jacques et Sharon Peureux, ont cherché à animer le château de Joseph Roman en faisant revivre les principales pièces où vivait sa famille au rez-de-chaussée comme au premier étage, lieux désormais ouverts au public, soit dans l'intimité d'une chambre louée pour une ou plusieurs nuits, soit dans la convivialité d'une visite guidée. Ils ont ainsi fait du château un lieu de mémoire permettant de matérialiser comment vivait une famille de grands notables de la fin du XIXe siècle. Avec la découverte des planches couvertes d'inscriptions, le château est aussi devenu le lieu d'une mémoire populaire, celle d'un simple menuisier, Joachim Martin, qui non seulement reprend chair quand il est incarné par un acteur, en l'espèce Roger Cézanne, dans le spectacle généralement joué au château, mais dont on peut aussi entendre la voix. Les visiteurs du château ont ainsi eu très tôt le privilège de découvrir une parole unique, celle d'un homme exceptionnel qui a compris que pour sortir de sa condition il lui fallait véritablement s'évader. Il l'a fait en lançant des messages aux générations futures, les invitant à ne pas oublier ce monde perdu qui fut le sien.

LES ÉCRITS DE JOACHIM MARTIN

Soixante-douze planches ont été découvertes entre 1999 et 2000. Elles sont conservées au château, dans une valise rangée au grenier. Les propos de Joachim Martin ont été transcrits dans un premier temps par Roger Cézanne qui a attribué un numéro à chaque planche, de manière aléatoire. Les planches lui ont été apportées en vrac après qu'a été défait le plancher de plusieurs pièces du premier étage du château, soit le couloir central et les chambres donnant à l'ouest sur le jardin. J'ai collationné à nouveau toutes les planches, apportant des précisions à la lecture originelle, mais j'ai respecté l'ordre initial. Ces planches se présentent de manière différente. Il s'agit soit des lattes elles-mêmes, auquel cas Joachim a écrit sur la longueur, soit de cales, de taille plus ou moins grande. Joachim écrit alors généralement sur la hauteur et n'hésite pas à écrire recto verso. Toutes les pièces n'ont pas été refaites. Il est donc possible que des parquets recèlent encore des secrets, notamment dans la chambre bleue, dite aussi chambre des accouchements.

On a respecté l'orthographe, les majuscules et la ponctuation.

1. Heureux mortel.
Quand tu me liras, je ne serai plus ; sois plus sage que moi de 15 ans à 25 ne vivant que d'amour et d'eau de vie fesant peu et dépensant beaucoup. Ménétrier que j'étais.

2. Il y a 6 mois que l'on a commencé à démolir les remparts à Embrun. Trouvé des caveaux dans terre avec des ossements.

3. Lagier, Maire est enflé et gros et sot. L'adjoint de St Jean est maigre nomé Mr Gras ancien matelot de la flote avare et jaloux.
Verso : De mon temps dès 18 ans je cajolais sa femme encore fille âgée de 16 ans. Hélas sa beauté a passé comme ma verve de garçon. Faure, secrétaire, a une femme orgueilleuse et sote [*illisible*].

4. Hier dimanche 4 septembre la fête a été belle à Savines et je crois qu'il en sera de même à Embrun. Mr Ferrary Amédé député et maire d'Embrun et Pavie Maire de Savines est fils d'un gros paysan pauvre comme moi. Il a fait fortune en Amérique en 10 ans, colporteur de livres et papiers. A étranglé quelqu'un ce que l'on dit.

5. Depuis 55 ans que nous travaillons ici nous n'avons rien trouvé qui indique Histoire. Pas un coup de plume ny crayon. Ne fait pas comme Eux écrit toujours ta date. 1880.

6. 1880
Martin Joachim
du village
Crottes
38 ans.

7. Mr Bontoux 1795
à Mr Créchi 1810 à
Mr Ferrary 1820 à
Mr Berte 1840 à

1870 Mr Ferrary fils
1870 à 1876.
Mr Roman de 1876 à 1881

8. Amédé Ferrary est l'avant dernier des 4 frères Ferrary nés dans ce château. Leur père est venu du Piémont avec 5 fr dans sa poche. A servi les maçons 10 ans à Embrun. Entrepreneur de la Centrale il y a gagné 50 mille francs et 10 au Pont Rouge. Fesant les beaux yeux et entreprenant. Sa femme était belle
[*recto verso*]

9. Ami lecteur le temps passe et ne se ressemble pas. En 48 nous payâmes le vin 7f l'ectolitre Espinasse. En 58 il valait 70 f l'hecto et le pain 1,50 les 2 Kos ou 80 la charge de 160 litres 4 enfants et une femme malade que penses-tu du père.

10. Ce vrai diciple de Troppman alcoolyte de Dumollard et Vitalis a essayé plusieurs fois de brouiller notre ménage et pourtant je n'avais que dire un mot et alonger le doigt droit à l'écurie tous en détention. Et bien non, c'est mon ami d'enfance, je ne le ferai pas, sa mère est la maîtresse à mon père.

11. La commune a fait un emprunt qui passera par les mains du maire Philipp et nous serons ruinés. 25 mille je crois. Malheur nous n'aurons que les sous et les pièces seront pour eux.

12. je sifle et suis gay et pourtant j'ai fait ce plancer sans goutte de vin réduit à boire l'eau sucrée et quelque baton de chocolat par ma conduite déréglée. Sois plus sage et tu sera heureux. Martin.

13. Le vieu plancer a été fait en 1838 par Martin mon père pour Mr Berthe vivant en concubinage avec la fille Philipp du village à qui il a laissé la maison carrée en face de la croix pour le prix de 18 ans de service de cul.

14. Mon histoire est courte et sincère et france, car nul que toi ne verra mon écriture C'est une consolation pour s'obligé d'être lu.

15. Quand je me suis marié je payer 3 F de contribution la 3eme année on a mis les journées de prestations à 4 et en 1880 on les a mis à 6F les 3 jours d'homme et je paye patente 40F par an d'imposition sans compter que ma femme ne paye encore rien de sa part qui est de 30f.

16. Aujourd'hui 16 Aout 1880 je continue le plancer. Mr va arriver de la Bessée. Hier St Laurent tout c'est bien passé. Robert de Barratier et sa femme ont diné chez moi et le soir jouer du violon 10 f.
Bien du monde et pas de jeu Le maire Philipp empoche l'argent le cochon.

17. Enfant de malheur qui [*a rayé* « je suis »] né libre et à 38 ans être chétif malade et sourd. Une sœur qui a une jembe de bois agée de 32 ans, mariée à un fou cafetier à embrun; Voilà ce qui reste de mes douze frères.

18. Marié en 1868 avec une fille Robert Ex Maire des Crottes, agée de 18 ans simple et modeste n'ayant jamais vu aucune pine avant son mariage avec moi.

19. Frédo Peyrot à Mr Roman où garçon du château, hier soir a mangé du gâteau et bu de la limonade chez moi accompagné de sa femme grosse de 4 mois fille née Hermite frère belle fille, vilain cul, grande, sale, 8 mille fr.

20. Ami lecteur quand tu prendra femme demande lui son instruction et non pas d'argent pour dot. L'on vient de me dire que Frédo garçon à Mr Roman va quitter le château parce qu'il a une femme trop simple et pas d'instruction fille à 7mille fr de dot, mais beste.

21. Je quitte Mr Chevallier et viens te dire aujourd'hui 23 août 1880 que hier notre curé Lagier a fait le sermon sur le bal que j'ai donné dimanche dernier St Laurent sur quoi je me suis plain... à Mr Roman ce matin. Notre curé grand maigre couleur de pourriture jeaune est à dire vrai un brave homme bon médecin et pas cher rend des grands services au pays mais il a un air de cranerie insolente avec son tricorne sur la nuque.

[*Verso*] M'a plutôt l'air d'un gai luron de ce qu'il est fesant de grandes révèrences aux femmes et les pauvres maris cocus sont obligés de se taire parce qu'il est médecin. D'abord je lui trouve un grand défaut de trop s'occuper des ménages de la manière que l'on baise sa femme. Combien de fois par mois si on la saute si on fait levrette si on l'encule enfin je ne sais combien de choses qu'il a demandé et défendu à toutes les femmes du quartier. De quel droit misérable. Qu'on le pende ce cochon. Mr n'a pu le croire !

22. le 1er septembre 1881 il pleut et tonne. Depuis 4 mois nous attendons cette [*ill.*]. Sur la montagne le bétail crevait de faim et de soif. Le soleil marque 70° de chaleur et 40 ° à l'ombre ; les chouettes crêvent et le fruit tombe. Un peu de blé dans la plaine ; pas de pomme de terre sur les montagnes, rien qui puisse nourrir l'habitant ; pain 0,80 Cent le K° Vin 70 environ l'hectolitre. Viande 1f50 le K°. Pomme de terre 20fr les 100 kg. Cochon 2f50 le K. Œufs 1F la douzaine. Poires et pommes 25f les 10 kg. C'est une misère à vivre. 4 à 5 mille piémontais au chemin de fer sur le canton d'Embrun. Les remparts à bas ;

23. Le charpentier du château Bouc Beyrand d'Embrun vient de finir le toit de Michel Michel du Picomtal qui a brulé le 19 mars 1879. Ce feu a été mis par un chat et Michel Leynet (court et trapu) oncle de celui qui a brûlé a été rebati au bois de la commune et aux frais des habitants. Nous y avons passé la nuit avec la pompe et 30 pompiers que nous étions avons

garanti le hameau du feu où j'ai pris dans l'eau une bonne
maladie.

L'oncle est mort à l'écurie de chagrin après avoir été gracié
à Gap aux assises (4 mois à Gap).

24. Pain vaut 0f40 le K°
Viande 1f50 k°, vin 70f lectolitre
cochon 2f10 le K°, poules 6f le couple, poulets 3f la paire
lièvre 10 f pièce. 1881.
[Verso] Céréales incroyable le prix
fruits 10 f les 50 K°s. Poisson 1f50 k° et le fromage du
Queyras 1f60 K°.

25. Tu trouveras pour 4 mille francs de travail que j'ai fait
pour Mr Roman. Portes et fenêtres et plancer aucun menuisier
a travaillé ici que mon père et moi depuis 1840.

J'ai commencé en 1858 agé de 15 ans à travailler pour
Mr Berthe Père qui m'a fait faire que quelques meubles et
palissades. Adieu ; une larme.

26. Mr Roman est passé l'archiviste du département il y a
un mois ; c'est ce qui l'a empèché d'accepter l'office d'officier
Civil au maire de Crottes. C'est Lagier Désiré qui est maire et
qui a remplacé Gambetta Maire Philip, homme brute et voleur
des fonds de la commune. Sa sœur a servi 20 ans de concubine
à Mr Berthe dans ce château où les Philips ont fait des graines
et leur position à [ill.]. Sois plus sage ne l'imite pas (voleur à
tout le monde).

27. Chadenas a été vendu 30 mille francs à la compagnie et
les vignes d'Embrun bien payé. Le tunel s'écroule de temps
en temps le terrain n'est pas solide. Les tufs viennent tous des
Terrassettes par chemin de fer à partir le long du torrent gare
si [ill.] va vitte.

[Verso] Martin. Le tracé du chemin de fer a été commencé
en 1879 et la ligne commence en 1881. Des grandes pétitions
ont été faites par les Embrunais pour avoir la gare à Embrun.

La compagnie voulait la faire passer sur notre digue de la Durance. C'est un malheur pour la commune et pour les propriétaires du village. 4 Aout 1881.

28. J'ai retourné le château et fouillé partout je n'ai pas trouvé une lettre pas un chiffre de menuisier.

Mr Roman va arriver de Briançon et me grondera de voir que je n'ai pas fini le plancher. Je le mettrai à prix fais s'il n'est pas comptent à 1f le mètre carré de façon. Adieu

28 bis. Mr Roman a eu 140 voix aux élections et refusé d'être Maire [ill.]. Ignorance complète sur 7 conseillers il y en a 4 qui ne savent lire.

29. en 1850 Mon père eut des discussions avec les gens du pays. C'est ce qui le décida à laisser le métier de menuisier l'espace de 20 ans pour faire des briques où tuiller, où j'ai passé une partie de ma jeunesse. Esclave du malheur que j'étais. J'ai tout [tant?] souffert comme [ill.]

30. Ce traitre persiste à se ruiner en fanfaronnades et à vêtir son femelle de 1m30 de haut pour donner le remors au cœur de ma moitiée, mais peines inutiles, je sais soufrir et me taire. Je parlerai après sa mort si je survis ; Nous sommes heureux ? mais lui ne fera qu'un célérat toute sa vie. Pauvre Hortence si belle a 18 ans te voilà vieilli dans le chagrin par ce maudit. Aymé *Baland*

31. La journée est de 4f par jour de 5 à 8 du soir pour les menuisiers et de 6 à 7 pour les maçons, autour de 6 à 7 pour moi.

32. Mr Berthe est resté 20 ans Maire de la commune des Crottes. Le chagrin de 1870 l'a étouffé le jour de la prise de Sedan. C'est mis au lit.

33. Depuis 4 mois nous n'avons pas eu de pluie. Il y a de quoi pleurer ; Les vignes sont ruinées [ill.]

34. Ne soit pas comme tes ancêtres qui pour un morceau de pain blanc ont vendu la commune. Hommes vils.

35. La justice est sévère et pas assez fine.
En 1868 je passais à minuit devant la porte d'une écurie. J'entendis des gémissements. C'était la concubine d'un de mes grands camarades qu'elle accouchait; Ils ont vécu 10 à 11 ans êtres [?] de cochon. Elle est accouchée de 6 enfants dont 4 sont enterrés au dit écurie de 1 de mort (garçon) et la fille est en vie du même âge que ma fille. Je te dirai qu'il le lui a reproché en public.

36. La république a fait de belles choses en 1881. Janvier et février a fait fermer 200 couvents diminué les curés et éveques d'un tiers. A prohibé les croix aux cimetières et honneurs fantasques. Les religieuses ont été retirées des écoles publiques. Mis le service militaire à 40 mois de présence au corps augmenté des pensions militaires augmenté les gradés,
[*Verso*] dépensé 10 millions aux forts de Briançon, dépensé 110 mille francs dans le torrent de Vachères pour plantations.
4 milliards qu'elle a dépensé en France pour les écoles publiques. Conquis la Tunisie, Sud Afrique avec 60 millions de dépense et peu d'homme; jamais avais vu semblable.

37. le chemin de fer est bientôt terminé. Les ponts sont tous faits et les remparts d'Embrun seront bientôt rasés par quelques mille de [*ill.*] que nous avons dans le pays tout est cher et le travail pas payé. Que veux-tu que [?]

38. J'ai pris le prix fait de tous les planchers de Mr Chevallier à la belle maison de la Remise que j'ai vue délabré. Relevée par Hipolyte Chevalier, docteur à Marseille en 1877.

39. Je te quitte ce jour 3 sept 1881 et te souhaite de gagner plus que moi à ce château. 22 ans de travail et pas le sou à la poche, travail à 4 f par jour et en dépenser 3 pour vivre. M. Roman est en suisse avec sa nouvelle épouse, marié du 1er sept 1881.

Adieu notre beau temps. Pour moi je languis sur cette terre, hélas où j'ai passé de si beaux jours comme le plus fort méné- trier violon de Gap à Briançon l'on te parlera de moi, mais mes alcolytes ne seront plus. Adieu

40. 11 heures, je vais diner et ne mangerai pas 10 lapins après en avoir étranglé 30 comme a fait le frère du chien de Mr Roman qu'on a envoyé à Sisteron chez Mme Roman.

41. Ami je viens de diner (Dieu quel diner) 2 assietées de soupe, le vin à 60f lectolitre, le pain à 50ctm le kg. Les pommes de terre 12f les 100 kg; Huile de noix 1,10f la livre. La viande 1,80 le kg. Comment veux-tu vivre?
Les employés du chemin de fer avalent tout sans compter la centrale ou détention.

42. Quelque mois après le mariage de ce criminel, la cruelle concubine déléssée est partie pour Marseille laissant son enfant à son père sans autre nouvelle. Son père ayant sa femme infirme et fossoyeur de son métier a pu faire disparaître les ossements de l'endroit. Ce despote a eu le courage de demander la main de ma femme la veille de notre union, lendemain du jour fatal de l'écurie. horreur mon cœur se soulève.

43. Martin Joachim avoir fait le plancher en aout 1880 à 0f 75 le mètre carré pour Mr Roman ex avocat.

44. Pavi maire de Savines, mécanicien de la Cie a envoyé un plancer mélèze très mal fait. Sa raboteuse ne va pas comme celle de Marseille. 1f50 le m / chambre bleu.

45. Ami si tu veux bien faire le travail fais-toi payer. Ne fais pas comme moi à 0 f 60 centimes le mètre de façon [*mètre carré*]. Aussi bien je ne fais rien de bon. Il faut 1f la pause.

46. Le cadet Michel du Picomtal frère avait la triste passion de se faire têter le nœud ou les tétons car il en avait comme

une fille et beaucoup de lait. Il lui arrivait assez souvent de têter ses camarades et de faire minette aux filles d'une dizaine d'années. Une fois connu il est parti d'ici.

47. La mère Escalier belle mère du fermier a 95 ans. Elle coud, elle parle, elle y entend et des yeux comme une fille de 18 ans. Chose curieuse, peut-être qu'elle pourrait encore donner des leçons de volupté. Mère de 4 garçons et 3 filles élevées à Chadenas chez le père Vigne tout gros et beaux enfants. Sa fille belle mère Ange est lauteur [?] que, a bati la ferme à l'écurie et la loge à cochons. Ce que nous avons fait avec les girodes maçons à Embrun, fils de Piémontais, maison mal batie et mal saine, trop basse et bien chère. Bouc Bazaie [?] a gagné de belle journée sauf le pauvre Martin qu'il est trop franc, il y a gagné juste la vie et mauvaise encore. Les maçons à 4f/jour n'ont pas fait fortune; le fond lui vient à 30 ou 40f pas possible [?]. Le toit à 32f la canne carrée et les planchers à 3f le mètre carré.

La place été vide (sauf un petit en gare) [?]

48. St Roc n'a pas beau temps, il pleut il tonne il grelle. Bien des raisins, pas de blé.

49. Bois venant du Havre à 2f50 cent le mètre carré.

50. Adieu pour ce jour mercredi 11 Aout. Je reviendrai finir le plancher le 20.

51. O toi seigneur qui habite le château ne méprise pas l'ouvrier.

52. Son père était un capitaine de doine en retraite à 100f par mois d'appointement. Vrai philosophe de sexe.

53. Mr Roman est à Briançon. Causons.

54. J'oubliais de te dire que Michel de Puycontal, celui qui a brûlé a un frère à Arles. Je te dirai ce qui l'a fait décamper du pays des Crottes.

55. 4 Portes en entrant 400f
460f pour racler les vieilles portes et chambranle.

56. Ilale [?] peintre a fini de passer l'église couleur tuf 600f.

57. Adieu pour quelques jours. Je vais chez Mr Chevalier au plancer 16 Aout 1880.

58. Bonjour 17 aout Monsieur arrive. Pierre Albrand dit la Rose adjoint à St Jean a été débraillé bon à rien rien à manger ne payant personne. Mais ils sont compères avec le maire Phillip aussi il se monte en famille et garni sa bourse aux frais de la commune. Canaille

59. A dire vrai la femme de Fredo toute belle qu'elle est, est de la plus triste famille du village, sa mère a eu 4 enfants avant son union. Son oncle en prison a été son cousin germain 5 ans de détention à embrun; sa tante et cousines sont les vautours du pays.

60. Mr Roman vient d'arriver très satisfait de son voyage et de son travail et me dira de quelques nouveaux sur ses trouvailles d'archive comme archiviste célèbre par les écrits qu'il fait relier à Grenoble et a dans sa bibliothèque. Mme dessine.

61. Mr Roman vient de me montrer les croquis qu'il vient de prendre à l'argentière de Briançon. Les 7 péchés capiteaux, très beau à voir. Mr n'est pas méchant mais il a temps soit peu conservé une forte dose de verve féminine car élevé par sa tante Mme Amat rentière de 20 mille de Gap elle l'a gâté raclé arrangé de manière qu'il lui vient toujours quelque mauvaise manière féminine. Gentil garçon aimant les jolies femmes et ne les touchant pas, se mêlant un peu de tous les procès. Donnant des bons conseils à qui veut bien l'écouter; Il aurait une majorité de voix pour maire mais ce [n'est] pas sa vocation.

62. Mr Roman Père était président de la célèbre cour d'Aix Marseille. De la vient que Roman fils a dans son musé couteaux, poignard, fusils, sabres, bâtons, tout ce qui a servi à la destruction humaine; le fameux poignard du chef de brigands qui ont été guillotinés à Marseille tous 4 le même jour, horreur à voir. J'étais à Bastia où l'on en a guillotiné 2 qui en avaient tué 7. La manière de les guillotiner est différente mais on leur coupe toujours la tête.

Mme Roman et son cadet habitent Sisterons, ils ont 8 fermes à soigner.

63. Châtelains qui méprisez l'ouvrier, sans la blouse qui a baisé ta mère ou ta sœur tu ne serais pas ici présent. Réfléchit.

64. Mme Roman a 50 ans environ, mignonette et petite, caractère doux. Mme a été jolie et joyau des salons de Paris, a eu une fille à l'inconnu ce qui fait dire souvent à son fils; vat'en à Paris faire boucher ton trou. Chose regrettable pour une mère. Ils ne sont pas d'accord.

65. Ce mariage d'inclination me porta aucun bonheur car les parents furent toujours mes ennemis sauf celui de Baratier Robert oncle à ma femme et frère à son père Ipolyte Robert.

66. Encore un mot du maire Phillip. Comme son père il est le destructeur de la religion, pas de messe pas de prière, il a besoin de prier. 4 enfants: 3 filles et 1 garçon fille ainée goitre, 2ème boiteuse, 3ème fille muette sourde, garçon muet et sourd en [ill.] Que dieu protège.

67. 5 heure. Je viens de manger un morceau de cochon qui vaut 1f10 la livre et un verre d'eau sucrée. Voilà mon existence, toujours seul au château je m'ennuie. Demain je vais chez Mr Chevalier médecin à Marseille.

68. Martin Jean-Joseph a travaillé ici de 1838 à 1878. Mort en 1878 âgé de 60 ans. Est mort minable et insolvable. [*En haut à droite: 1880, en bas coin droit: Menuisier.*]

69. Le père ange fermier a 4 enfants deux garçons et deux filles. L'ainé des garçons travaille avec eux et a pris femme à Pontis, petitonne assez gentille. Il y a 2 ans que Fredo lui a fait la commission dans la serre à fleur. J'avais marqué le jour et au bout de 9 mois résultat d'un beau garçon né brun et le fils ange est roux, de la vient que Frédo a blagué à Mr Roman et le père ange va sortir avec sa femme

[*Verso*] la mère [*ill.*] et la fille ange

Fredo prendra la ferme à la moitié avec le fils ange ainé donc que Fredo aura deux femmes un bénet, et l'autre n'aura que les peines d'être père à la mairie et église et se trouve ici bienheureux d'être cornu par un homme qui le fait boire le dimanche. Tu trouvera cette datte à gauche de l'attellié 21 juin 1878 conjoncture de deux mortels à ce jour au château.

70. Le curé a une sœur grande et mince n'y voyant que la moitié de ses misères, âgée de 34 ans et son frère curé 38 amoureux comme une araignée surtout avec les postillons de la diligence avec qui on l'a trouvé plusieurs fois sous le poirier de Mr Roman sous le barry; enfin à te dire vrai ils sont bons musiciens l'un et l'autre et Puts [*?*] l'un comme l'autre.

[*Verso*] Tous les samedis elle va se confesser au séminaire où il m'a été dit qu'un abbé professeur était devenu amoureux fou d'elle parce qu'elle a cette manière de se laisser aller tout doucement aux sons de la volupté et plusieurs bacans [*?*] ici en sont été pris, pourtant elle n'est pas belle mais jolies manières.

71. Ami ne travaille pas tant, fais toi payer selon ton savoir; j'ai fait la crédance de notre église 200f; J'ai fait la crédance de St jean 250f; j'ai fait la crédance de St Sauveur et le confessionnal 300 la crédance et 50f; le total 350.

72. Je ne te dis pas autre chose.
Je vais à Embrun acheter un cochon qui sont très chers cette
année.
Conserve toi et songe qu'un jour tu feras comme moi, tu iras
à la
maison des frères où je repose. J'ai garni le tombeau de
Mr Berthe et
je vais rejoindre mon travail pour n'être plus de ce monde
que je
quitte volontiers pourtant il y a de plus malheureux qui
existent
pourquoi me plaindre.

LETTRE DE JOACHIM MARTIN AU PRÉFET
DES HAUTES-ALPES, 18 MARS 1884 (ADHA, V 32)

Le nommé Martin Joachim, propriétaire aux Crottes Hautes Alpes se joint aux nombreuses victimes de cet indigne disciple d'Esculape qui non content de faire des maux horribles et terribles aux pauvres malades qui lui tombent sous la main a le double défaut de Néron empereur romain. Selon l'opinion publique, j'ose soumettre sous les yeux les faits dont j'ai à me plaindre. L'an 1874, 18 décembre, mon fils aîné âgé de 31 mois fut pris d'un mal d'yeux. Cet ecclésiastique se faisant passer pour célèbre oculiste fut appelé par la femme. Après un court examen certifia que cela, dans 8 jours il sera guéri. Le lendemain à 8 heures arrive le fameux oculiste avec une fiole contenant une dissolution d'oxyde de zinc et en laisse tomber quelques gouttes dans les yeux du pauvre enfant. Quatre jours après l'œil droit était tout enflé et l'œil gauche avait complètement disparu. J'ai pu en les lavant souvent avec de l'eau fraîche lui sauver le droit et laisser mon oculiste de côté. Plus tard, 1876, fin juillet, dame Philipp, ma sœur, se retirant de Marseille avec une petite enflure au pied, dès son arrivée, le célèbre chirurgien se présente, regarde et ordonne de lui encaisser le pied et jambe dans la bouse de vache et lui tenir 8 jours sans discontinuer. Tout cela n'a abouti qu'à une amputation de la jambe à sa sortie de l'hôpital. Dame Philip est venue s'installer dans un magasin qui n'était séparée du presbytère que par un mur assez mince. Dame Philipp a mis au monde le 16 mai 1882 une fille dont personne ne connaît le père, s'étant séparée de son mari depuis 10 à 11 ans. Je ne crois pas qu'il soit venu de Paris où il travaille pour faire son devoir conjugal. Dame Philip est décédée de chagrin le 15 juillet de même année après avoir essuyé toutes les misères que peut faire un être vindicatif ; tout cela demande vengeance. 6 mois avant cette mort j'avais vu mourir mon père sans savoir de quoi et à quoi attribuer cette perte douloureuse. Mon père n'a fait qu'un mois et demi de maladie. Homme assez robuste, jamais malade, 60 ans. Son seul docteur n'a été que le curé Lagier et M. le docteur Chevallier deux fois qui y a perdu son latin sur le genre de maladie. Je lui avais promis de lui faire faire l'autopsie. Les moyens m'ont manqué en ce moment. Mon père a rendu son dernier soupir en me disant que cet homme était la perte de toute notre famille. Il reconnaissait avoir tort d'avoir eu tant de confiance à cet homme pour traiter mon frère cadet mort en 1872 à 16 ans, pour lui avoir appliqué les sangsues à un garçon atteint d'anémie. C'est dommage. Forte tête et allait prendre son brevet d'instituteur. Au mois de décembre 1879, je pris un abcès au bras droit. Ne trouvant pas de docteur à Embrun, tous deux absents, le curé fut appelé par la femme. Il regarde, touche. Sans me prévenir, il m'a envoyé trois coups de lancette dans la main. Tout le résultat a été de me laisser la main droite estropiée.

La Noël de 1881 appela la femme au confessionnal où il y eut un véritable scandale dans l'église. Ce récalcitrant envoya appeler la femme plusieurs fois sans rien obtenir. Depuis cette époque la femme n'a plus remis les pieds à l'église et les enfants très peu. Je n'ai pu savoir ce qui s'est passé, mais je commence à entrer dans un état d'exaltation. Je puis vous dire encore que c'est un être révoltant colère qui approche de la brute ; il est venu deux fois chez moi me mettre le poing sous le nez, et dire s'il en valait la peine, ce n'est pas difficile de tenir de tels propos à un homme auquel on a ôté la main droite. Plainte j'ai porté [sic] 2 fois à M. Lagier maire pour mauvais traitements aux enfants.

Recevez Monsieur le préfet mes plus profonds respects.

Martin Joachim

REMERCIEMENTS

Ce livre n'aurait jamais vu le jour sans ma rencontre avec Jacques et Sharon Peureux, propriétaires du château de Picomtal, qui m'ont accueilli chez eux, communiqué les écrits de Joachim et m'ont autorisé à les utiliser. Je souhaite aussi dire ma gratitude à Roger Cézanne, historien du village de Crots qui m'a fourni d'importantes précisions sur le milieu dans lequel vivait Joachim. Je suis aussi reconnaissant aux archivistes qui m'ont apporté leur concours, que ce soit aux Archives départementales des Hautes-Alpes, aux Archives diocésaines de Gap et aux Archives nationales. J'aurais une pensée pour ma compagne qui était présente au château de Picomtal quand l'aventure a commencé et en a suivi tous les rebondissements. Enfin je voudrais remercier très chaleureusement Judith Simony pour avoir accepté avec enthousiasme ce projet et accueilli ce livre aux Éditions Belin.

NOTES

INTRODUCTION

1. Alain Corbin, *Le monde retrouvé de Louis-François Pinagot. Sur les traces d'un inconnu (1798-1876)*, Paris, Aubier, 1998.

2. Agricol Perdiguier, *Mémoires d'un compagnon*, introduction d'Alain Faure, Paris, Maspero, 1977.

3. *La Plume et le Rabot. Journal écrit de 1773 à 1828 par Claude-Antoine Bellod, menuisier et maître d'école au Grand-Abergement (Ain)*, édition critique intégrale établie par André Abbiateci, avec la collaboration d'Andrée Laffay et Paul Cattin, Bourg-en-Bresse, Les sources de l'histoire de l'Ain, 1996 ; François-Joseph Fourquemin (1779-1880), *Souvenirs d'un menuisier nivernais au XIXᵉ siècle*, introduction de Jean Tulard, présentation par Jean-Louis Balleret et Jérôme Lequime, Autun, Les Éditions du Pas de l'Âne, 1998.

4. Carlo Ginzburg, *Le Fromage et les Vers. L'univers d'un meunier du XVIᵉ siècle*, Paris, Aubier, 1980.

5. Voir Daniel Fabre (dir.), *Écritures ordinaires*, Paris, POL, 1993 ; Daniel Fabre (dir.), *Par l'écrit, ethnologie des écritures*, Paris, Maison de la MSH, 1997.

6. Jean-Pierre Bardet et François-Joseph Ruggiu (dir.), *Au plus près du secret des cœurs ? Nouvelles lectures historiques des écrits du for privé en Europe du XVIᵉ au XVIIIᵉ siècle*, Paris, Publications de l'Université Paris Sorbonne, 2005 ; Michel Cassan, Jean-Pierre Bardet et François-Joseph Ruggiu (dir.), *Les écrits du for privé, objets matériels, objets édités*, Limoges, Publications de l'Université de Limoges, 2007, 347 p. ; Élisabeth Arnoul, Jean-Pierre Bardet et François-Joseph Ruggiu (dir.), *Les écrits du for privé en Europe, du Moyen Âge à l'époque contemporaine. Enquêtes, analyses, publications*, Bordeaux, Presses Universitaires de Bordeaux, 2010.

7. Voir Jean-Claude Vimont, « Les graffiti de la colonie pénitentiaire des Douaires », *Histoire et Archives*, n° 2, 1998, p. 139-153 ; « Graffiti en péril ? », *Sociétés et représentations*, n° 25, 2008, p. 193-202 ; Charlotte Guichard, *Graffitis. Inscrire son nom à Rome, XVIᵉ-XIXᵉ siècle*, Paris, Seuil, 2014.

CHAPITRE PREMIER. Un menuisier des Hautes-Alpes

1. Les citations non référencées sont extraites des 72 planches découvertes dont on retrouvera le texte en annexe. Elles y sont alors reproduites sans corrections. Pour en faciliter la lecture et la compréhension dans le cours du texte, j'ai corrigé l'orthographe et introduit des signes de ponctuation.
2. Le musée départemental de Gap en conserve de nombreux exemples.
3. ADHA, 2 E 49/6, Crottes, NMD 1820, acte de naissance de Jean-Joseph Martin. Ne figure pas sur le registre matricule de 1840.
4. Ne figure pas au registre matricule de 1816-1817.
5. ADHA, 2 E 42/6/2, Crottes, NMD, 1815-1817.
6. ADHA, EDépôt 20 G 7, Relevé des sommes perçues pour les contributions, 1809-1816.
7. ADHA, 2 E 49/5/3, Crottes, NMD, 1815-1817.
8. ADHA, 1 R 926/2, matricule n° 664.
9. ADHA, 2 E 49/8, acte de mariage de Jean Joseph Martin et Adélaïde-Augustine Laville.
10. Archives diocésaines de Gap, Registre de catholicité, déclaration du 11 avril 1842 et acte de baptême du même jour.
11. Archives diocésaines de Gap, Fonds Depéry, questionnaire de 1844, arrondissement d'Embrun.
12. ADHA, 6 M 270/4. Recensement de 1866.
13. ADHA, 2 E 49/10, Crottes NMD, acte de décès de Adélaïde-Augustine Laville.
14. ADHA, 5 M 169, Jean-Joseph Martin au préfet des Hautes-Alpes, sd [avril 1854].
15. ADHA, EDépôt 20 G 3, Matrice générale des contributions, commune des Crottes, années 1862-1865.
16. ADHA, 3 Q 1552, déclaration de succession du 25 août 1879.
17. ADHA, EDépôt, 20 R 1, État des élèves compris dans le rôle de la rétribution mensuelle, janvier et février 1850.
18. Jean-Charles-François Ladoucette, *Histoire, topographie, antiquités, usages, dialectes des Hautes-Alpes, avec un atlas et des notes*, Paris, Gide et cie, 3ᵉ éd, 1848, p. 448.
19. *Ibid.*, p. 450.
20. Archives diocésaines de Gap, Rapport du curé sur l'état de la paroisse des Crottes, 21 avril 1921.
21. ADHA, 2 E 49/10, Crottes Mariages 1863-1872, acte de mariage de Joseph Joachim Martin et Marie-Virginie-Antoinette Robert.
22. ADHA, 1 R 920/2, matricule 777.
23. ADHA, EDépôt, 20 H 7, Procès-verbal de l'élection des sous-officiers de la 2ᵉ compagnie de la garde nationale des Crottes, 19 février 1832.
24. ADHA, 1 R 237/2.
25. Fils de Joseph Antoine Philip, 33 ans, cultivateur et aubergiste, et de Marie Marguerite Philip. Honoré Antoine Robert, ami du père, est témoin.
26. ADHA, 2 E 49/11, Crottes, Naissances 1873-1882, actes de naissance de Jean-Baptiste, Joseph-Casimir-Édouard et Émilie-Jeanne Martin.
27. ADHA, 2 E 49/11, acte de décès d'Émilie-Jeanne Martin.

CHAPITRE II. Un village des Hautes-Alpes

1. ADHA, EDépôt, 6 M 270/4. Recensement de 1881.
2. Joseph Roman, «Monographie de la commune des Crottes», *Bulletin de la Société d'Études des Hautes Alpes*, 1902, p 318-339.
3. ADHA, 1 R 912/2, matricule n° 224.
4. ADHA, 1 R 918/1, matricule n° 610.
5. ADHA, 1 R 926/2, matricule n° 664.
6. ADHA, EDépôt 20 D 7, Registre des délibérations du conseil municipal, 1879-1881, séance du 25 novembre 1880.
7. Joseph Roman, «Monographie de la commune des Crottes», art. cit., p. 337.
8. Joseph Roman, «Cinq ans de l'histoire d'Embrun (1580-1585)», extrait du *Courrier des Alpes*, octobre-novembre 1877, 23 p.
9. Joseph Roman, «Monographie du village des Crottes», art. cit., p. 203.
10. ADHA, EDépôt 20 D 7, Registre des délibérations du conseil municipal, 1879-1881, séance du 1er mars 1880.
11. Joseph Roman, «Le périmètre de reboisement de la commune des Crottes», extrait du *Bulletin de la Société d'Études des Hautes-Alpes*, Embrun, 1884, 14 p.
12. A. Rey, *De l'épizootie charbonneuse qui a régné dans l'arrondissement d'Embrun, département des Hautes-Alpes, en 1853*, Lyon-Paris, Savy-Labbé, 1853, p. 49.
13. Joseph Roman, «Le périmètre de reboisement», *op. cit.*
14. Jean-Charles-François Ladoucette, *Histoire, topographie, antiquités, usages, dialectes des Hautes-Alpes, avec un atlas et des notes*, Paris, Gide et cie, 3e éd, 1848 [1834], p. 240.
15. ADHA, EDépôt 20 F 3, Statistique quinquennale, commune des Crottes, 1852.
16. ADHA, EDépôt, 20 F 4, arrêté de la préfecture des Hautes-Alpes, 7 septembre 1895.
17. ADHA, EDépôt 20 D 7, Registre des délibérations du conseil municipal, 1879-1881, séance du 24 juin 1880.
18. ADHA, EDépôt 20 D 7, Registre des délibérations du conseil municipal, 1879-1881, séance du 24 juin 1880.
19. ADHA, EDépôt 20 D 7, Registre des délibérations du conseil municipal, 1879-1881, séance du 31 juillet 1881.
20. ADHA, EDépôt 20 D 8, Registre des délibérations du conseil municipal, 1881-1884, séance du 25 janvier 1882.
21. Voir Fabien Gaveau, «Gendarmes et gardes champêtres de 1795 à 1854. Une relation ambiguë», dans Jean-Noël Luc (dir.), *Gendarmerie, État et société au XIXe siècle*, Paris, Publications de la Sorbonne, 2002, p. 81-90.
22. Voir Andrée Corvol, Charles Dereix, Pierre Gresser et François Lormant (dir.), *Forêt et montagne*, actes du colloque international organisé par le Groupe d'histoire des forêts françaises, Paris, L'Harmattan, 2015.
23. AN, F 10 6464, Rapport de l'inspecteur des forêts sur la forêt des Crottes, 27 septembre 1867.
24. *Grand annuaire almanach pour la France et les Hautes Alpes*, Gap, Richaud, 1880, p. 120.
25. ADHA, EDépôt 20 D 7, Registre des délibérations du conseil municipal, 1879-1881, séance du 25 novembre 1880.

26. AN, F 10 6464, Rapport de l'inspecteur des forêts sur la forêt des Crottes, 27 septembre 1867.
27. AN, F 10 6464, Rapport de la Direction générale des forêts sur l'aménagement de la forêt des Crottes, 4 novembre 1872.
28. ADHA, EDépôt 20 D 5, Registre des délibérations du conseil municipal, 1863-1877, séances des 19 novembre 1873 et 6 février 1874.
29. AN, F 10 6464, Rapport de la Direction générale des forêts, 6 mars 1875.
30. ADHA, EDépôt 20 D 7, Registre des délibérations du conseil municipal, 1879-1881, séance du 20 novembre 1879.
31. ADHA, EDépôt 20 D 7, Registre des délibérations du conseil municipal, 1879-1881, séance du 19 janvier 1880.
32. René Favier, «Écologie et religion. La suppression de l'abbaye de Boscodon», *Bulletin de la Société d'études des Hautes-Alpes*, 1985-1986, p. 198-202.
33. AN, Q2 12 Vente des biens nationaux.
34. *Le Dauphiné libéré*, 7 et 20 juin 2015.
35. *Le Dauphiné libéré*, 4 janvier 2017 ; LCI, 4 janvier 2017.
36. Roger Cézanne, *Jean Granger de Medeyrolles, transfuge en Embrunois*, Embrun, 1994.

CHAPITRE III. Le château de Picomtal

1. SHD, 2 Yᵍ 808, dossier Gauthier de Cressy.
2. AN, LH 627/55, dossier Jean-Louis François de Cressy.
3. ADHA, EDépôt 20 G 7, Relevé des sommes perçues pour les contributions, 1809-1816.
4. Jean Bouvier, *Le krach de l'Union générale*, Paris, Puf, 1960.
5. ADHA, EDépôt 20 G 7, Relevé des sommes perçues pour les contributions, 1809-1816.
6. ADHA, 3 Q 1512, succession de Louis Berthe, déclaration du 29 avril 1871. Son capital est estimé à 78000 francs, dont 6000 francs pour le seul château, ce qui paraît sous-évalué.
7. Philippe Vigier, *La Seconde République dans la région alpine*, Paris, Puf, 1963, t. 2, p. 311 et suiv.
8. ADHA, Gap, NMD, 2 E 65/42.
9. [Joseph Roman], *Généalogie de la famille Amat*, Grenoble, Allier, 1890, 52 p., p. 34-5. (l'exemplaire non signé possédé par la Bibliothèque nationale porte «don de l'auteur, M. Roman»).
10. AN, LH 28/63, dossier de Jean-Joseph Amat, extrait du registre des baptêmes de Ribiers.
11. Edna Hindie Lemay (dir.), *Dictionnaire des Législateurs 1791-1792*, Ferney-Voltaire, Centre international d'étude du XVIIIᵉ siècle, 2007, 2 tomes, t. 1, p. 9.
12. AN, LH 28/63, dossier de Jean-Joseph Amat et *Dictionnaire des parlementaires français*, t. 1, p. 52.
13. Richard Duchamblo, *Tallard et son château*, Gap, Imp. Ribaud frères, 1974.
14. ADHA, Gap, NMD 1840, 2 E 65/42.
15. AN, 93 AJ 110 dossier d'élève de l'École des chartes.
16. «M. Joseph Roman», extrait du *Bulletin de la Société d'Études des Hautes Alpes*, 1925, n° 13 et 14, 43 p.

17. Joseph Roman, *Le bataillon des mobiles des Hautes-Alpes, 20 août 1870-26 mars 1871*, Gap, Jouglard, 1871, 67 p.

18. *Actes et correspondance du connétable de Lesdiguières*, publiés sur les manuscrits originaux par le comte Douglas et Joseph Roman, Grenoble, Imp. De E. Allier, 1878-1884, 3 vol.

19. ADHA, 2 E 65/47, Gap NMD 1848.

20. Françoise Mayeur, «Les évêques français et Victor Duruy: les cours secondaires de jeunes filles», *Revue d'histoire de l'Église de France*, 1971, t. 159, p. 267-304.

21. Joseph Roman, *Monographie du mandement de Largentière*, Paris, Picard, 1883.

22. Jean-Charles Roman d'Amat, «Fragments d'une autobiographie», *Bulletin de la Société d'Études des Hautes Alpes*, 1977, p. 49-65 (p. 50-51).

23. Entretien avec Roger Cézanne, Crots, 22 juin 2017.

24. ADHA, 75 J 88, Joseph Roman, Conseils à mes enfants, juin 1890.

25. ADHA, 1 R 933/2, classe 1879, matricule n° 26.

26. AN, F 17 2882, dossier Joseph Roman, membre du Comité des Travaux historiques.

27. ADHA, F 1432, Joseph Roman à Paul Guillaume, mars 1879.

28. Pierre-Yves Playoust, «Autour de la fondation de la Société d'Études des Hautes-Alpes (1881). Les tribulations d'un archiviste à la fin du XIXᵉ siècle», dans Laurence Ciavaldini Rivière, Anne Lemonde-Santamaria et Ilaria Taddei (dir.), *Entre France et Italie. Vitalité et rayonnement d'une rencontre. Mélanges offerts à Pierrette Paravy*, Grenoble, Publications de l'université de Grenoble, 2009, p. 77-84.

29. ADHA, 75 J 172, Papiers personnels de Joseph Roman, carte d'adhérent au Comité de la Ligue catholique et sociale présidée par Albert de Mun.

30. AN, F 17 2882, le préfet des Hautes-Alpes au ministre de l'Instruction publique, 23 mai 1899.

CHAPITRE IV. La vie quotidienne d'un menuisier

1. ADHA, 75 J 181, Comptes des dépenses faites aux immeubles de Picomtal.

2. ADHA, 75 J 182, Dépenses pour la chapelle.

3. ADHA, 75 J 182, facture de la maison Espitalier et Garcin, 19 août 1879.

4. ADHA, 75 J 182, facture établie par François Pavie.

5. G. Oslet et Jules Jeannin, *Traité de menuiserie*, Paris, Georges Franchon, 1898, 3 tomes, t. 1, p. 338-341.

6. ADHA, Matrice générale des contributions foncière, personnelle et mobilière et des portes et fenêtres, années 1891-1894.

7. Jean-Claude Farcy, «L'artisanat rural dans la Beauce au XIXᵉ siècle», *Histoire, Économie, Société*, 1986, t. 5, p. 573-590.

8. ADHA, EDépôt 20 D 7, Registre des délibérations du conseil municipal, 1879-1881, séance du 17 août 1879.

9. ADHA, EDépôt 20 D 8, Registre des délibérations du conseil municipal, 1881-1884, séance du 6 novembre 1881.

10. ADHA, EDépôt 20 D 8, Registre des délibérations du conseil municipal, 1881-1884, séance du 17 décembre 1882.

11. ADHA, EDépôt 20 D 7, Registre des délibérations du conseil municipal, 1879-1881, séance du 9 mars 1879.

12. *Le Courrier des Alpes*, 21 juillet 1881.

13. Ronald Hubscher, «Réflexions sur l'identité paysanne au XIXe siècle: identité réelle ou supposée?», *Ruralia*, 1997, 1.
14. Didier Nourrisson, *Le buveur du XIXe siècle*, Paris, Albin Michel, 1990.

CHAPITRE V. La République au village

1. Gilles Pécout, «La politisation des paysans au XIXe siècle. Réflexions sur l'histoire politique des campagnes françaises», *Histoire et sociétés rurales*, n° 2, 1994, p. 91-125 ; *La politisation des campagnes au XIXe siècle, France, Italie, Espagne, Portugal*, Rome, École française de Rome, 2000.
2. ADHA EDépôt 20 K 4, procès-verbal de l'élection municipale du 30 juillet 1848.
3. Maurice Agulhon (dir.), *Les maires en France du Consulat à nos jours*, Paris, Publications de la Sorbonne, 1986.
4. Jean-Pierre Jessenne, *Pouvoir au village et Révolution. Artois 1760-1848*, Lille, Presses Universitaires de Lille, 1987.
5. AN, F/1bII/Hautes-Alpes/3, le préfet des Hautes-Alpes au ministre de l'Intérieur, 18 juillet 1871.
6. Comme l'avait constaté Raymond Huard dans le Gard, Raymond Huard, *La préhistoire des partis. Le mouvement républicain en bas-Languedoc, 1848-1881*, Paris, Presses de Sciences-Po, 1982.
7. Voir Frédéric Monier, *Corruption et politique: rien de nouveau?*, Paris, A. Colin, coll. «éléments de réponse/libertés de l'historien», 2011.
8. AN, F/1bII/Hautes-Alpes/3, Objets généraux, 1844-1884, Le préfet des Hautes-Alpes au ministre de l'Intérieur, 19 février 1881.
9. Joseph Roman, «Monographie de la commune des Crottes», art. cit., p. 3.
10. ADHA, EDépôt 20 D 8, Registre des délibérations du conseil municipal, 1881-1884, séance du 24 mars 1881.
11. AN, F/1bII/Hautes-Alpes/3, Le préfet des Hautes-Alpes au ministre de l'Intérieur, 10 octobre 1883.
12. ADHA, EDépôt 20 K 4, Procès-verbal de l'élection complémentaire du 30 septembre 1883.
13. ADHA, EDépôt 20 D 8, Registre des délibérations, septembre 1883. Pièces relatives au reboisement et regazonnement des montagnes communales des Crottes.
14. ADHA, EDépôt 20 D 8, Les habitants des Crottes au ministre de l'Agriculture, 23 septembre 1883 (copie).
15. ADHA, EDépôt 20 D 8, Joseph Roman au préfet des Hautes-Alpes, 16 septembre 1883.
16. ADHA, EDépôt 20 D 8, Registre des délibérations du conseil municipal, 1881-1884, séance du 30 décembre 1883.
17. ADHA, V 32, Jean-Pierre Chevallier au sous-préfet d'Embrun, 21 janvier 1884.
18. ADHA, V 32, Jean-Pierre Chevallier au sous-préfet d'Embrun, 21 janvier 1884.
19. ADHA, V 32, Le sous-préfet d'Embrun au préfet des Hautes-Alpes, 24 janvier 1884.
20. ADHA, V 32, le préfet des Hautes-Alpes au sous-préfet d'Embrun, 1er février 1884.
21. ADHA, EDépôt, 20 K 4, Procès-verbal des élections municipales du 3 août 1884.
22. ADHA, EDépôt, 20 K 4, Procès-verbal du 24 août 1884.

23. ADHA, EDépôt 20 D 9, Registre des délibérations du conseil municipal, 1884-1890, séance du 21 juin 1885.
24. ADHA, 2 E 149/10/3.
25. ADHA, EDépôt, 20 K 4, Registre des actes de la préfecture, 12 juin 1889.
26. ADHA, 2 E 50/19/2, Registre NMD Embrun, 1840, inscription le 18 mai 1840 d'un jugement rendu le 8 mai.
27. AN, LH 960/34, dossier Désiré Maurice Ferrary.
28. Sur le contexte de luttes politiques entre républicains et monarchistes, voir notamment Odile Rudelle, *La République absolue 1870-1889*, Paris, Publications de la Sorbonne, 1982.
29. Germaine Veyret-Vernère, « L'industrie textile du département des Hautes-Alpes », *Revue de géographie alpine*, 1939, vol. 27, p. 625-646.
30. Maurice Agulhon, « La statuomanie et l'histoire », repris in *Histoire vagabonde*, t. 1, Paris, Gallimard, 1988, p. 137-185.
31. ADHA, EDépôt 20 K 2, élection d'un député, 17 septembre 1876, liste des votants.
32. ADHA, EDépôt 20 K 2, élection d'un député, 14 octobre 1877, liste des votants.
33. Voir Jacqueline Lalouette, « Une vague exceptionnelle d'invalidations. L'épilogue des élections législatives de 1877 », dans Philippe Bourdin, Jean-Claude Caron et Mathias Bernard (dir.), *L'incident électoral de la Révolution française à la Ve République*, Clermont-Ferrand, Presses universitaires Blaise Pascal, 2002, p. 156-184.
34. ADHA, EDépôt 20 K 2, élection d'un député, 7 juillet 1878, liste des votants.
35. ADHA, EDépôt 20 K 2, élection d'un député, 26 février 1888, liste des votants.
36. ADHA, EDépôt 20 K 2, procès-verbal de l'élection du 26 février 1888, section du chef-lieu.
37. ADHA, EDépôt 20 K 2, élection d'un député, 22 septembre 1889, liste des votants.
38. ADHA, EDépôt 20 K 2, élection d'un député, 20 août 1893, liste des votants.
39. ADHA, EDépôt, 20 M 3, L'inspecteur d'académie au maire des Crottes, 8 janvier 1859.
40. ADHA, EDépôt, 20 M 3, contrat entre Marguerite Philip et le maire des Crottes, 1er novembre 1874.
41. ADHA, EDépôt 20 D 7, Registre des délibérations du conseil municipal, 1879-1881, séance du 10 février 1879.
42. ADHA, EDépôt 20 H 3, le conseiller général au maire des Crottes, 21 septembre 1865.
43. ADHA, EDépôt 20 H 3, le vicaire général de Gap au maire des Crottes, 7 septembre 1871.
44. *Ibid.*
45. ADHA, EDépôt 20 R 1, Liste des élèves admises gratuitement pendant l'année 1877.
46. ADHA, EDépôt 20 R 1, arrêté de nomination de Célestin Faure, 8 octobre 1879.
47. ADHA, EDépôt 20 D 7, Registre des délibérations du conseil municipal, 1879-1881, séance du 28 août 1880.
48. ADHA, EDépôt 20 D 7, Registre des délibérations du conseil municipal, 1879-1881, séance du 28 novembre 1880.

49. ADHA, EDépôt 20 D 7, Registre des délibérations du conseil municipal, 1879-1881, séance du 20 février 1881.

50. ADHA, EDépôt 20 D 7, Registre des délibérations du conseil municipal, 1879-1881, séance du 1er mars 1880.

51. ADHA, EDépôt 20 D 7, Registre des délibérations du conseil municipal, 1879-1881, séance du 11 avril 1880.

52. ADHA, EDépôt 20 D 7, Registre des délibérations du conseil municipal, 1879-1881, séance du 16 octobre 1881.

53. ADHA, EDépôt 20 D 8, Registre des délibérations du conseil municipal, 1881-1884, séance du 16 février 1882.

54. ADHA, EDépôt 20 D 8, Registre des délibérations du conseil municipal, 1881-1884, séance du 10 août 1882. ADHA, EDépôt 20 D 8, Registre des délibérations du conseil municipal, 1881-1884, séance du 3 septembre 1882.

55. ADHA, EDépôt 20 D 8, Registre des délibérations du conseil municipal, 1881-1884, séance du 3 avril 1883.

56. Robert Beck, *Der Plan Freycinet und die Provinzen. Aspekte der Infrastrukturellen Entwicklung der französischen Provinzen durch die Dritte Republik*, Berlin, Peter Lang, 1986.

57. ADHA, EDépôt 20 D 7, Registre des délibérations du conseil municipal, 1879-1881, séance du 31 mai 1881.

58. ADHA, EDépôt 20 D 7, Registre des délibérations du conseil municipal, 1879-1881, séance du 16 février 1880.

59. ADHA, EDépôt 20 D 7, Registre des délibérations du conseil municipal, 1879-1881, séance du 24 juin 1880.

60. ADHA, EDépôt 20 D 7, Registre des délibérations du conseil municipal, 1879-1881, séance du 25 juillet 1880.

CHAPITRE VI. La sexualité vue par Joachim

1. Voir Anne-Marie Sohn, *Du premier baiser à l'alcôve. La sexualité des Français au quotidien (1850-1950)*, Paris, Aubier, 1996.

2. Voir Annick Tillier, *Des criminelles au village. Femmes infanticides en Bretagne (1825-1865)*, Rennes, PUR, 2001.

3. *Ami de la religion*, t. 94, 1837.

4. ADHA, 2 E 168/4/4.

5. ADHA, 2 U 31, arrêt de la cour d'assises des Hautes-Alpes, 26 juin 1879.

6. Groupe de La Bussière, *Pratique de la confession. Des pères du désert à Vatican II. Quinze études d'histoire*, Paris, Le Cerf, 1983.

7. Claude Langlois, *Le crime d'Onan. Le discours catholique sur la limitation des naissances (1816-1930)*, Paris, Les Belles Lettres, 2005.

8. Voir René Rémond, *L'anticléricalisme en France de 1815 à nos jours*, Paris, Fayard, 1999 et Jacqueline Lalouette, *La libre pensée en France 1848-1940*, Paris, Albin Michel, 1997, p. 230-232.

9. ADHA, V 32, Joachim Martin au préfet des Hautes-Alpes, 18 mars 1884.

10. ADHA, Crottes, 2 E 49/11.

11. ADHA, 1 R 1019, matricule n° 704

12. ADHA, 1 R 1026, matricule n° 449.

13. ADHA, 1 R 1044, matricule n° 252.

14. ADHA, 1 R 1084, matricule n° 443.
15. ADHA, EDépôt R6 M 270/4, Recensement de 1886.
16. Anne-Marie Sohn, *Du premier baiser à l'alcôve. La sexualité des Français au quotidien*, op. cit.

CHAPITRE VII. L'espace et le temps

1. Patrick Caffarel et Michel Clément, *L'émigration des Hauts-Alpins aux Amériques*, Gap, Païta Communication, 2016.
2. ADHA, 2 E 65/25/3, acte de décès de Paul François Benoît Bontoux.
3. Voir « Chrononymes. Dénommer le siècle » sous la direction de Dominique Kalifa, *Revue d'histoire du XIXᵉ siècle*, 2016, n° 52.
4. ADHA, V 32, Joachim Martin au préfet des Hautes-Alpes, 18 mars 1884.
5. Jean-François Chanet, *L'École républicaine et les petites patries*, Paris, Aubier, 1996.
6. Rémi Cuisinier, *Dumollard, l'assassin des bonnes*, La Taillanderie, 2008.
7. Maxime Guffroy, *Dumollard ou l'assassin des servantes*, La Bibliothèque rouge, 1869, 31 p.
8. *Dumollard, l'assassin de servantes. Complainte*, Reims, Maréchal-Gruat, 1862, 2 p. Voir aussi *Complainte sur Dumollard, de Dagneux, département de l'Ain, l'assassin des servantes, l'homme le plus criminel du XIXᵉ siècle, condamné par les Assises à la peine de mort*, Clermont, Duchier, 1862. *Véritable et authentique complainte de Dumollard*, par un Gone de Lyon, Paris, Morris, 1862.
9. Michèle Perrot, « L'affaire Troppmann (1869) », *L'Histoire*, n° 30, 1981, p. 17-30.
10. Véronique Gramfort, « Les crimes de Pantin. Quand Troppmann défrayait la chronique », *Romantisme*, 1997, n° 97, p. 17-30.
11. Fernand de Rodays, « Affaire Vitalis », *Le Figaro*, 3 juillet 1877.
12. ADHA, 2 U 19 Homicide aux Crottes, an XIII.
13. ADHA, 2 U 1236 et 1237. Délits de simple police.

CHAPITRE VIII. L'Église, le prêtre et les femmes

1. Le « barry » désigne les remparts.
2. Joachim veut sans doute signifier que le prêtre et sa sœur sont intéressés par la chose sexuelle.
3. Paul Guillaume, *Clergé ancien et moderne du diocèse de Gap*, Gap, Imp. Louis Jean et Peyrot, 1909, p. 171.
4. Paul-Louis Courier, *Pétition à la chambre des députés pour les paroissiens que l'on empêche de danser*, Paris, 1822.
5. Archives diocésaines de Gap, l'abbé Rozan au vicaire général de Gap, 15 février 1888
6. Archives diocésaines de Gap, l'abbé Rozan au vicaire général de Gap, 23 février 1888.
7. AN, F 19 2942.
8. Archives diocésaines de Gap, huit conseillers municipaux des Crottes à l'évêque de Gap, 1ᵉʳ février 1888.
9. Archives diocésaines de Gap, l'évêque de Gap au préfet des Hautes-Alpes, 18 avril 1888.

10. Archives diocésaines de Gap, rapport sur la paroisse de St Jean des Crottes, 1905.

11. Fernand Boulard et Bernard Delpal (dir.), *Matériaux pour l'histoire religieuse du peuple français*, t. 4, Lyon, Chrétiens et Société, 2011, p. 91.

12. Fernand Boulard et Bernard Delpal (dir.), *Matériaux pour l'histoire religieuse du peuple français, op. cit.*, p. 299.

13. Archives diocésaines de Gap, Renseignements demandés par Monseigneur l'évêque de Gap, 1er novembre 1844.

14. Fernand Boulard et Bernard Delpal (dir.), *Matériaux pour l'histoire religieuse du peuple français, op. cit.*, p. 300.

15. Étienne Van de Walle, «La fécondité française au XIXe siècle», *Communications*, 1986, vol. 44, 1, p. 35-45.

16. Archives diocésaines de Gap, paroisse des Crottes, registres de baptêmes.

17. ADHA, V 195, État des confréries de pénitents existants dans l'arrondissement d'Embrun, 31 décembre 1809. Voir aussi Robert Brès, «Les confréries des anciens diocèses de Gap et d'Embrun. Étude de quelques statuts», *Provence historique*, 1984, t. 34, fasc. 136, p. 183-192.

18. Archives Roger Cézanne.

19. Roger Cézanne, *Nouvelle monographie de la commune des Crots*, Embrun, Labouré, 2016, p. 79.

20. Marie-Hélène Froesché-Choppard, *Espace et sacré en Provence (XVIe-XIXe siècle). Cultes, images, confréries*, Paris, Le Cerf, 1994.

21. Robert Brès, «Les confréries des anciens diocèses de Gap et d'Embrun», art. cit., p. 187.

22. Archives diocésaines de Gap, Procès-verbal de visite de la paroisse des Crottes, 10 juillet 1912.

23. Archives diocésaines de Gap, Procès-verbal de visite de la paroisse des Crottes, 10 juillet 1924.

24. *Ibid.*

25. AN, F 19 5811, Plusieurs habitants des Crottes au ministre de la justice et des cultes, 28 mars 1884.

26. AN, F 19 5811, Amédée Ferrary au ministre des cultes, 31 mars 1884.

27. Voir Thierry Wanegfelen, *Ni Rome ni Genève. Des fidèles entre deux chaires en France au XVIe siècle*, Paris, Champion, 1997.

28. Robert Brès, «Le protestantisme dans les Hautes-Alpes de 1800 à 1830», *Bulletin de la Société d'Études des Hautes-Alpes*, 1980, p. 28-43.

29. ADHA, V 32, Joachim Martin au préfet des Hautes-Alpes, 28 mai 1884.

30. ADHA, V 32, Baptiste Dider au préfet des Hautes-Alpes, 24 mai 1884.

31. ADHA, V 32, Marguerite Pellat au préfet des Hautes-Alpes, 17 mai 1884.

32. ADHA, V 32, Louis Lagier au préfet des Hautes-Alpes, 18 mai 1884.

33. ADHA, V 32, Joseph Roman et Jean-Pierre Chevallier à l'évêque de Gap, 23 octobre 1884.

34. ADHA, V 32, le maire des Crottes au préfet des Hautes-Alpes, 28 septembre 1885.

35. Le registre de délibération est lacunaire du 9 août au 24 octobre. 1885.

36. AN, F 19 2942, dossier Lagier.

37. Jacques Léonard, *La vie quotidienne du médecin en province au XIXᵉ siècle*, Paris, Hachette, 1977, p. 160.

38. Pierre Guillaume, *Médecins, Église et foi, XIXᵉ-XXᵉ siècles*, Paris, Aubier, 1990, p. 27.

39. Jacques Léonard, *La vie quotidienne du médecin en province, op. cit.,* p. 49-50.

40. ADHA, EDépôt 20 D 8, Registre des délibérations du conseil municipal, 1881-1884, séance du 1ᵉʳ mai 1881.

41. ADHA, V 32, Joachim Martin au préfet des Hautes-Alpes, 18 mai 1884.

42. ADHA, V 32, Marguerite Pellat au préfet des Hautes-Alpes, 17 mai 1884.

43. ADHA, V 32, le sous-préfet d'Embrun au préfet des Hautes-Alpes, 29 mai 1884.

44. ADHA, V 32, le sous-préfet d'Embrun au préfet des Hautes-Alpes, 3 janvier 1884.

45. ADHA, 2 E 49/11/3, Naissances 1873-1882, acte du 17 mai 1882.

46. Archives diocésaines de Gap, souscription en faveur du clergé et des établissements diocésains, paroisse des Crottes, 1906.

CHAPITRE IX. La fin d'un monde

1. Eugen Weber, *La fin des terroirs*, Paris, Fayard, 1983.

2. AD Var, 1 R 763, matricule n° 1624.

3. AD Var, 7 E 136/25, acte de naissance de Ernest Fernand Bonifay.

4. AD Var, 1 R 900, registre matricule, n° 913.

5. AD Var, 7 E 133/78, acte de naissance de Denise Madeleine Bonifay.

6. ADHA, 2 E 49/10, acte de naissance de Noélie-Henriette Martin.

7. ADHA, 2 E 79/17.

8. AD Bouches-du-Rhône, 1 R 1495, matricule n° 286.

9. ADHA, 75 J 166.

10. ADHA, 1 R 1014, matricule n° 357.

11. Jacques Julliard, *Clemenceau, briseur de grèves*, Paris, Julliard, «Archives», 1966.

12. Bernard Roman Amat, *La charge du 8 août 1914, par un officier membre de la Société d'études*, Gap, Jean et Peurot, 1916.

13. Bernard Roman Amat, *Mémoires de guerre, 1914-1918*, Sisteron, 1995.

14. R. A. [Louis Roman Amat], «Le colonel Roman d'Amat, 1882-1972», *Bulletin de la Société d'études des Hautes-Alpes*, 1973, p. 118-119.

15. «Récit de la guerre telle que nous l'avons vécue, écrit en 1940 et poursuivi en 1945», par Pierre Morize. http://www.philippemorize.com/Notre-guerre-de-1940,347.html.

16. ADHA, 75 J 168, Papiers de Jacques Roman.

17. ADHA, 1 R 1031 matricule n° 727.

18. Jean-Charles Roman, *Les chartes de l'ordre de Chalais, 1101-1400*, t. 1, *1101-1200*, Ligugé, Abbaye Saint-Martin, Paris, Picard, 1923, 135 p. Voir la recension de P. Pietresson de Saint-Aubin, dans *Revue d'histoire de l'Église de France*, 1924, n° 46, p. 107-108.

19. ADHA, 1 R 1035, matricule n° 337.

20. *Le baptême du feu, 20 octobre 1914* par un officier membre de la Société d'études, extrait du Bulletin de, 3ᵉ trimestre 1914, Jean et Peyrot, Gap, 1916, 7 p.

21. 75 J 171, Papiers Charles Roman, diplôme de bachelière de Pierrette Thomas, 27 juin 1916.

22. Bernard Faÿ, *Rapport présenté au maréchal de France chef de l'État sur la réorganisation et le fonctionnement de la réunion des bibliothèques de Paris de 1940 à 1943*, Paris, Bibliothèque nationale, 1944, p. 382.

23. ADHA, 75 J 183, succession de Joseph Roman.

24. ADHA, 75 J 183, succession de Joseph Roman, Me Girard à Mme Roman, 18 septembre 1924.

25. Archives Peureux, lettre de Béatrice Parise, née Roman d'Amat, à Jacques et Sharon Peureux, 14 février 2012.

26. Pascale Nivelle, «L'essentiel est de durer», *Libération*, 20 août 1999.

27. Virginie Bodon, «La défense des intérêts locaux face à l'intérêt général. La cohésion villageoise à l'épreuve de l'aménagement des barrages de Tignes et de Serre-Ponçon», *Ruralia*, 1998, 2, p. 45-55.

SOURCES

ARCHIVES DU CHÂTEAU DE PICOMTAL
Recueil des 72 planches contenant les écrits de Joachim Martin
Papiers divers

ARCHIVES NATIONALES (AN)
F/1bII/Hautes-Alpes/3, Objets généraux, 1844-1884
F/1bII/Hautes-Alpes/5 Dossiers par communes
F 10 6464 Forêts non domaniales
F 19 2611, abbé André, desservant des Crottes candidat à l'épiscopat
    en 1888
F 19 2942, dessin Jules Lagier
F 19 5811 Police des cultes. Dossier Jules Lagier
F 19 6425 Enquête sur les confréries de 1809

Q2 12 Vente des biens nationaux
93 AJ 110 dossier de Joseph Roman, élève de l'École des chartes
F 17 2882 dossier de Joseph Roman, membre du Comité des Travaux
    historiques

ARCHIVES DÉPARTEMENTALES DES HAUTES-ALPES (ADHA)
E État-civil (en ligne)
R Registres matricules (en ligne)
Recensement (en ligne)
Registres des délibérations du conseil municipal des Crottes, (en ligne)

4 M 137 Arrestations, rapports de gendarmerie, 1857-1922
5 M 169 Tuileries et briqueteries : Les Crottes (1829-1876)

3 Q 1512, déclaration de succession de Louis Berthe
3 Q 122, déclaration de succession, Jean-Joseph Martin
3 Q 142 déclaration de succession, Joachim Martin

4 U 1236 Jugements de simple police 1861-1879
4 U 1237 Jugements de simple police 1880-1890
2 U 19 Homicide aux Crottes, an XIII
2 U 31 arrêts de la cour d'assises 1878-1894

V 32 Personnel, Lettre L. Dossier Jules Lagier
V 195 Enquête sur les confréries, art 44
V 212 Paroisse des Crots

ARCHIVES COMMUNALES DES CROTTES
(DÉPOSÉES AUX ARCHIVES DÉPARTEMENTALES)

EDépôt 20 D 1 à 11. Registres des délibérations communales, 1791-1903 (numérisé)
EDépôt 20 F 3 Statistiques agricoles
EDépôt 20 F 4 établissement des foires
EDépôt 20 H 6 Recensement de la garde nationale
EDépôt 20 H 7 Garde nationale (…) liste des candidats (1870)
EDépôt 20 H 8 Sapeurs-pompiers (1884)
EDépôt 20 H 9 Logement des prisonniers de guerre (1814), mobilisation (an VIII-1870), place forte d'Embrun, réquisition de bois
EDépôt 20 I 4 Liste des jurys. Jean-Joseph Martin y figure dans les années 1850.
EDépôt 20 M 2 Église des Crottes : réception des travaux (1824), réfection de la flèche du clocher (1828), réparation à l'intérieur de l'église, facture d'ornements complets (1842-1854), destruction du porche (1852)
EDépôt 20 M 3 École des Crottes : emprunt pour la construction (1883-1885) ; école de filles et de garçons, correspondance de la préfecture sur l'état déplorable des écoles, réponse du maire ; bail pour la location d'une maison pour servir de maison d'école, sans date, 1859.
EDépôt 20 R 1 Instituteurs et institutrices : nominations (1879-1885)

EDépôt 20 G 7 Rôle des quatre contributions directes
EDépôt 20 G 9 Matrice générale des quatre contributions

ARCHIVES DIOCÉSAINES DE GAP

Registres de catholicité, années 1840-1880
Fonds La Croix d'Azolette, visite pastorale de 1838, paroisse St Jean des Crottes
État des églises paroissiales, cimetières, presbytères du diocèse de Gap, 1839
Fonds Rossat, visite pastorale de 1841, paroisse des Crottes
Fonds Depéry, questionnaire de 1844, arrondissement d'Embrun
Fonds Blanchet, paroisse des Crottes, 1888
Fonds Bonnabel, paroisse des Crottes et de Saint-Jean des Crottes, 1905-1926

SOURCES IMPRIMÉES

Rémi GOSSEZ *Un ouvrier en 1820. Manuscrit inédit de Jacques-Etienne Bédé*, Paris, PUF, Centre de correspondance, 1984.
La plume et le rabot. Journal écrit de 1773 à 1828 par Claude-Antoine Bellod, menuisier et maître d'école au Grand-Abergement (Ain), édition critique intégrale établie par André Abbiateci, avec la collaboration d'Andrée Laffay et Paul Cattin, Bourg-en-Bresse, Les sources de l'histoire de l'Ain, 1996.
François-Joseph FOURQUEMIN (1779-1880), *Souvenirs d'un menuisier nivernais au XIXᵉ siècle*, introduction de Jean Tulard, présentation par Jean-Louis Balleret et Jérôme Lequime, Autun, Les Éditions du Pas de l'Âne, 1998.
Grand annuaire almanach pour la France et les Hautes Alpes, Gap, Richaud, 1880.
Paul GUILLAUME, *Clergé ancien et moderne du diocèse de Gap*, Gap, Imp. Louis Jean et Peyrot, 1909.
Jean-Charles-François LADOUCETTE, *Histoire, topographie, antiquités, usages, dialectes des Hautes-Alpes, avec un atlas et des notes*, Paris, Gide et cie, 3ᵉ éd, 1848.
G. OSLET et Jules JEANNIN, *Traité de menuiserie*, Paris, Georges Franchon, 1898, 3 tomes.
Jacques-Louis MÉNÉTRA, *Journal de ma vie*, édité par Daniel Roche, Paris, Albin Michel, 1998.

Agricol PERDIGUIER, *Mémoires d'un compagnon*, introduction d'Alain Faure, Paris, Maspero, 1977.

Bernard ROMAN AMAT, *La charge du 8 août 1914, par un officier membre de la Société d'études*, Gap, Jean et Peurot, 1916.

Bernard ROMAN AMAT, *Mémoires de guerre, 1914-1918*, Sisteron, 1995.

Jean-Charles ROMAN D'AMAT, *Le baptême du feu, 20 octobre 1914* par un officier membre de la Société d'études, extrait du *Bulletin de la Société d'Études des Hautes Alpes*, 3ᵉ trimestre 1914, Jean et Peyrot, Gap, 1916.

Jean-Charles ROMAN D'AMAT, «Fragments d'une autobiographie», *Bulletin de la Société d'Études des Hautes Alpes*, 1977, p. 49-65.

Joseph ROMAN, *Le bataillon des mobiles des Hautes-Alpes, 20 août 1870-26 mars 1871*, Gap, Jouglard, 1871.

Joseph ROMAN, «Le périmètre de reboisement de la commune des Crottes», extrait du *Bulletin de la Société d'Études des Hautes-Alpes*, Embrun, 1884.

Joseph ROMAN, «Monographie de la commune des Crottes», Extrait du *Bulletin de la Société d'Études des Hautes Alpes*, Gap, Jean et Peyrot, 1908.

Joseph ROMAN, «Cinq ans de l'histoire d'Embrun (1580-1585)», extrait du *Courrier des Alpes*, octobre-novembre 1877.

BIBLIOGRAPHIE

AGULHON, Maurice, *La République au village : les populations du Var de la Révolution à la seconde république*, Paris, Le Seuil, 1979.
— (dir.), *Les maires en France du Consulat à nos jours*, Paris, Publications de la Sorbonne, 1986.
—, *Histoire de France, la République de Jules Ferry à François Mitterrand*, Hachette, 1990.
—, *Histoire vagabonde*, 3 vol., Paris, Gallimard, 1988-1996.
ARNOUL, Élisabeth, BARDET, François-Joseph et RUGGIU, Jean-Pierre, (dir.), *Les écrits du for privé en Europe, du Moyen Âge à l'époque contemporaine. Enquêtes, analyses, publications*, Bordeaux, Presses Universitaires de Bordeaux, 2010.
AVOCAT, Charles, *Montagnes de lumière (Briançonnais, Embrunais, Queyras, Ubaye). Essai sur l'évolution humaine et économique de la haute montagne intra-alpine*, Villeurbanne, Imp. Fayolle, 1979.
BARDET, Jean-Pierre et RUGGIU, François-Joseph (dir.), *Au plus près du secret des cœurs ? Nouvelles lectures historiques des écrits du for privé en Europe du XVIᵉ au XVIIIᵉ siècle*, Paris, Publications de l'Université Paris Sorbonne, 2005.
BARRAL, Pierre, *Le département de l'Isère sous la Troisième République, 1870-1940*, Paris, Armand Colin, 1962.
BECK, Robert, *Der Plan Freycinet und die Provinzen. Aspekte der Infrastrukturellen Entwicklung der französischen Provinzen durch die Dritte Republik*, Berlin, Peter Lang, 1986.

BERTRAND, Régis et CAROL, Anne (dir.), *L'exécution capitale. Une mort donnée en spectacle*, Aix, Presses Universitaires de Provence, 2003.

BOUDON, Jacques-Olivier, *Religion et politique en France depuis 1789*, Paris, Armand Colin, 2009.

—, *Citoyenneté, République et Démocratie en France, 1789-1899*, Paris, Armand Colin, coll. «U», 2014.

BOULARD, Fernand et DELPAL, Bernard (dir.), *Matériaux pour l'histoire religieuse du peuple français*, t. 4, Lyon, Chrétiens et Société, 2011.

BRASSART, Laurent, JESSENNE, Jean-Pierre, VIVIER, Nadine (dir.), *Clochemerle ou république villageoise ? La conduite municipale des affaires villageoises en Europe du XVIIIe au XXe siècle*, Villeneuve-d'Ascq, Presses universitaires du Septentrion, 2012.

BRES, Robert, «Le protestantisme dans les Hautes-Alpes de 1800 à 1830», *Bulletin de la Société d'Études des Hautes-Alpes*, 1980, p. 28-43

—, «Les confréries des anciens diocèses de Gap et d'Embrun. Étude de quelques statuts», *Provence historique*, 1984, t. 34, fasc. 136, p. 183-192.

CAFFAREL, Patrick et CLEMENT, Michel, *L'émigration des Hauts-Alpins aux Amériques*, Gap, Païta Communication, 2016.

CASSAN, Michel, BARDET, Jean-Pierre et RUGGIU, François-Joseph (dir.), *Les écrits du for privé, objets matériels, objets édités*, Limoges, Publications de l'Université de Limoges, 2007.

CÉZANNE, Roger, *Jean Granger de Medeyrolles, transfuge en Embrunois*, Embrun, 1994.

—, *Nouvelle monographie de la commune des Crots*, Embrun, Labouré, 2016.

CHAIX D'AST ANGE, *Dictionnaire des familles françaises anciennes ou notables*, Évreux, Hérissey, 1903, t. 1.

CHANET, Jean-François, *L'École républicaine et les petites patries*, Paris, Aubier, 1996.

CHARLE, Christophe, *Histoire sociale de la France au XIXe siècle*, Paris, Le Seuil, coll. «Points», 1991.

CORBIN, Alain, *Le temps, le désir et l'horreur. Essais sur le dix-neuvième siècle*, Paris, Aubier, 1991.

—, *Archaïsme et modernité en Limousin au XIXe siècle*, 2 volumes, n. éd., Limoge, PULIM, 1998.

—, *Le monde retrouvé de Louis-François Pinagot. Sur les traces d'un inconnu (1798-1876)*, Paris, Aubier, 1998.

CORVOL, Andrée, *L'homme aux bois. Histoire des relations de l'homme et de la forêt : XVIIe-XXe siècle*, Paris, Fayard, 1987.

— (dir.), *Forêt et troupeaux*, journée d'études organisée par le Centre national de la recherche scientifique, Paris, Institut d'histoire moderne et contemporaine, 2001.

—, DEREIX, Charles, GRESSER, Pierre et LORMANT, François (dir.), *Forêt et montagne*, actes du colloque international organisé par le Groupe d'histoire des forêts françaises, Paris, L'Harmattan, 2015.

CUISINIER, Rémi, *Dumollard, l'assassin des bonnes*, La Taillanderie, 2008.

DELOYE, Yves, *Les voix de Dieu. Pour une autre histoire du suffrage électoral : le clergé catholique français et le vote, XIXe-XXe siècle*, Paris, Fayard, 2006.

DÉMIER, Francis, *La France du XIXe siècle*, Paris, Le Seuil, coll. «Points», 2000.

DUBY, Georges et WALLON, Armand (dir.), *Histoire de la France rurale*, t. 3 et 4, Paris, Le Seuil, coll. «Points», 1992.

DUCLERT, Vincent, *La république imaginée 1870-1914*, Paris, Belin, 2010.

DUPAQUIER, Jacques, *Histoire de la population française*, t. 3, Paris, Puf, 1991.

FABRE, Daniel (dir.), *Écritures ordinaires*, Paris, POL, 1993.

— (dir.), *Par l'écrit, ethnologie des écritures*, Paris, Maison de la MSH, 1997.

FARCY, Jean-Claude, «L'artisanat rural dans la Beauce au XIXe siècle», *Histoire, Économie, Société*, 1986, vol. 5, p. 573-590.

FAVIER, René, «Écologie et religion. La suppression de l'abbaye de Boscodon», *Bulletin de la Société d'études des Hautes-Alpes*, 1985-1986, p. 198-202.

FROESCHLÉ-CHOPARD, Marie-Hélène, *Espace et sacré en Provence (XVIe-XIXe siècle). Cultes, images, confréries*, Paris, Le Cerf, 1994.

GARRIGOU, Alain, *Le vote et la Vertu comment les Français sont devenus électeurs*, Presses de la FNSP, 1992.

—, *Histoire sociale du suffrage universel en France 1848-2000*, Le Seuil, 2000.

GINZBURG, Carlo, *Le fromage et les vers. L'univers d'un meunier du XVI* siècle*, Paris, Aubier, 1980.

GOLDSTEIN, Jan, *Hysteria Complicated By Ecstasy. The Case of Nanette Leroux*, Princeton et Oxford, Princeton University Press, 2010.

GRAMFORT, Véronique, «Les crimes de Pantin. Quand Troppmann défrayait la chronique», *Romantisme*, 1997, n° 97, p. 17-30.

GRÉVY, Jérôme, *La République des opportunistes 1870-1885*, Paris, Perrin, 1998.

Groupe de La Bussière, *Pratique de la confession. Des pères du désert à Vatican II. Quinze études d'histoire*, Paris, Le Cerf, 1983.

GUILLAUME, Pierre, *Médecins, Église et foi, XIX*-XX* siècles*, Paris, Aubier, 1990.

HOUTE, Arnaud, *Le triomphe de la République, 1871-1914*, Paris, Le Seuil, 2014.

HUARD, Raymond, *La préhistoire des partis. Le mouvement républicain en bas-Languedoc, 1848-1881*, Paris, Presses de Sciences-Po, 1982.

—, *Le suffrage universel en France 1848-1946*, Paris, Aubier, 1991.

HUBSCHER, Ronald, «Réflexions sur l'identité paysanne au XIX* siècle: identité réelle ou supposée?», *Ruralia*, 1997, 1.

HUMBERT, Jacques, *Embrun et l'Embrunais à travers l'histoire*, Gap, Société d'études des Hautes Alpes, 1972.

JESSENNE, Jean-Pierre, *Pouvoir au village et Révolution. Artois 1760-1848*, Lille, Presses Universitaires de Lille, 1987.

LANGLOIS, Claude, *Le crime d'Onan. Le discours catholique sur la limitation des naissances (1816-1930)*, Paris, Les Belles Lettres, 2005.

LALOUETTE, Jacqueline, *La libre pensée en France 1848-1940*, Paris, Albin Michel, 1997.

—, «Une vague exceptionnelle d'invalidations. L'épilogue des élections législatives de 1877», dans Philippe Bourdin, Jean-Claude Caron et Mathias Bernard (dir.), *L'incident électoral de la Révolution française à la V* République*, Clermont-Ferrand, Presses universitaires Blaise Pascal, 2002, p. 156-184.

—, *La République anticléricale XIX*-XX* siècles*, Paris, Le Seuil, 2002.

LEMAY, Edna Hindie, *Dictionnaire des Constituants 1789-1791*, Paris, Universitas, 1991, 2 tomes.

— (dir.), *Dictionnaire des Législateurs 1791-1792*, Ferney-Voltaire, Centre international d'étude du XVIII* siècle, 2007, 2 tomes.

LÉONARD, Jacques, *La vie quotidienne du médecin en province au XIXᵉ siècle*, Paris, Hachette, 1977.

LEVI, Giovanni, *Le pouvoir au village. Histoire d'un exorciste dans le Piémont du XVIIᵉ siècle*, précédé de *L'Histoire au ras du sol*, par Jacques Revel, Paris, Gallimard, 1989.

MAYAUD, Jean-Luc, *Gens de la terre. La France rurale, 1880-1940*, Paris, Éditions du Chêne, 2010.

— (Introduction), «Recherches pinagotiques», *Ruralia. Revue de l'association des ruralistes français*, 1998, 3.

MAYEUR, Françoise, *L'Éducation des filles en France au XIXᵉ siècle*, Paris, Hachette, 1979.

—, *De la Révolution à l'école républicaine*, tome III de l'*Histoire générale de l'enseignement et de l'éducation en France*, Perrin, «Tempus», 2004.

MAYEUR, Jean-Marie, *Les débuts de la Troisième République, Nouvelle histoire de la France contemporaine*, t. 10, Paris, Le Seuil, coll. «Points», 1973.

—, *La question laïque, XIXᵉ-XXᵉ siècle*, Paris, Fayard, 1997.

MAZAURIC, Claude, *Destins. Quatre «poilus» originaires de Collorgues dans la grande guerre (1914-1918)*, Nîmes, Éditions de la Fénestrelle, 2014.

MONIER, Frédéric, *Corruption et politique: rien de nouveau?*, Paris, A. Colin, coll. «éléments de réponse/libertés de l'historien», 2011.

MONTEL, Laurence, *Marseille capitale du crime. Histoire croisée de l'imaginaire de Marseille et de la criminalité organisée (1820-1940)*, thèse de doctorat, Université de Paris X Nanterre, 2008.

MOULIN, Annie, *Les paysans dans la société française de la Révolution à nos jours*, Paris, Le Seuil, coll. «Points», 1988.

NOIRIEL, Gérard, *Le creuset français, histoire de l'immigration XIXᵉ-XXᵉ siècle*, Seuil, rééd. coll. «Points», 2006.

NOURRISSON, Didier, *Le buveur au XIXᵉ siècle*, Paris, Albin Michel, 1990.

OZOUF, Jacques et Mona, *La République des instituteurs*, Paris, Gallimard-Le Seuil, 1992.

PÉCOUT, Gilles, «La politisation des paysans au XIXᵉ siècle. Réflexions sur l'histoire politique des campagnes françaises», *Histoire et sociétés rurales*, n° 2, 1994, p. 91-125.

PERROT, Michèle, «L'affaire Troppmann (1869)», *L'Histoire*, n° 30, 1981, p. 17-30.

PLAYOUST, Pierre-Yves, «Autour de la fondation de la Société d'Études des Hautes-Alpes (1881). Les tribulations d'un archiviste à la fin du XIX⁰ siècle», dans Laurence Ciavaldini Rivière, Anne Lemonde-Santamaria et Ilaria Taddei (dir.), *Entre France et Italie. Vitalité et rayonnement d'une rencontre. Mélanges offerts à Pierrette Paravy*, Grenoble, Publications de l'université de Grenoble, 2009, p. 77-84.

La politisation des campagnes au XIX⁰ siècle, France, Italie, Espagne, Portugal, Rome, École française de Rome, 2000.

REMOND, René, *L'anticléricalisme en France de 1815 à nos jours*, Paris, Fayard, 1999.

REVEL, Jacques (dir.), *Jeux d'échelles. La micro-analyse à l'expérience*, Paris, Gallimard/Le Seuil, 1996.

RIBARD, Dinah, «De l'écriture à l'événement. Acteurs et histoire de la poésie ouvrière autour de 1840», *Revue d'histoire du XIX⁰ siècle*, 2006, t. 32, p. 79-91.

ROBERT, A. et COUGNY, G., *Dictionnaire des parlementaires français de 1789 à 1889*, Paris, Bourloton, 1890.

ROSANVALLON, Pierre, *Le sacre du citoyen, histoire du suffrage universel en France*, Paris, Gallimard, 1992.

RUDELLE, Odile, *La République absolue 1870-1889*, Paris, Publications de la Sorbonne, 1982.

SOHN, Anne-Marie, *Du premier baiser à l'alcôve. La sexualité des Français au quotidien (1850-1950)*, Paris, Aubier, 1996.

TACKETT, Timothy, *Priest and parish in 18th-century France. A social and political study of the Curés in a Diocese of Dauphiné, 1750-1791*, Princeton, Princeton University Press, 1977.

TANCHOUX, Philippe, *Les procédures électorales en France de la fin de l'Ancien régime à la Première guerre mondiale*, CTHS, 2004.

THIVOT, Henry, *La vie publique dans les Hautes-Alpes vers le milieu du XIX⁰ siècle*, Gap, Éditions de la Librairie des Hautes-Alpes, 1995.

VANDENHOVE, Jean, *Les prisons d'Embrun du Moyen Âge jusqu'en 1943*, Gap, Imp. Des Alpes, 2004.

VAN DE WALLE, Étienne, «La fécondité française au XIX⁰ siècle», *Communications*, 1986, vol. 44, 1, p. 35-45.

VEYRET-VERNERE, Germaine, «L'industrie textile du département des Hautes-Alpes», *Revue de géographie alpine*, 1939, vol. 27, p. 625-646.

VIGIER, Philippe, *La Seconde République dans la région alpine*, Paris, Puf, 1963, 2 tomes.

VIMONT, Jean-Claude, «Les graffiti de la colonie pénitentiaire des Douaires», *Histoire et Archives*, n° 2, 1998, p. 139-153.

—, « Graffiti en péril ?», *Sociétés et représentations*, n° 25, 2008, p. 193-202.

VIVIER, Nadine, *Le Briançonnais rural aux XVIIIe et XIXe siècles*, Paris, L'Harmattan, 2012.

—, *Propriété collective et identité communale. Les biens communaux en France, 1750-1914*, Paris, Publications de la Sorbonne, 1998.

VOVELLE, Michel, *La Révolution au village. Une communauté gardoise de 1750 à 1815 : Saint-Jean-de-Maruéjols*, Paris, Éditions de Paris, 2013.

WEBER, Eugen, *La fin des terroirs. La modernisation de la France rurale, 1870-1914*, Paris, Hachette, coll. «Pluriel», rééd. 2011.

CRÉDITS ICONOGRAPHIQUES DU CAHIER CENTRAL

I. © Collection particulière.
II. Haut © Archives départementales des Hautes-Alpes (F3413/315/a).
Bas © Archives départementales des Hautes-Alpes (39 NUM 218).
III. © Collection particulière.
IV-V. © Archives départementales des Hautes-Alpes (F3413/315/b).
VI-VII. © Collection particulière.
VIII. © Roger Cézanne.

TABLE DES MATIÈRES

Imprimé en France par LABALLERY numérique à Clamecy
N° d'imprimeur : 805254 – Dépôt légal : octobre 2017
N° d'édition : 41000603-05/juin2018